W9-AXF-084

Carmen Martín Gaite
Fragmentos de interior

Carmen Martín Gaite

# Fragmentos de interior

Ediciones Destino
Colección
Destinolibro
Volumen 83

Consell de Cent, 425. 08009 Barcelona
Primera edición: mayo 1976
Primera edición en Destinolibro: marzo 1980
Segunda edición en Destinolibro: mayo 1984
Tercera edición en Destinolibro: octubre 1987
Cuarta edición en Destinolibro: mayo 1989
Quinta edición en Destinolibro: noviembre 1990
ISBN: 84-233-1030-2
Depósito legal: B. 42.481-1990
Impreso por Apsa, S.A.
Calle Roca Umbert, 26. L'Hospitalet (Barcelona)

Para Ignacio Álvarez Vara,
por una apuesta.

*Others may be puzzled, you can cope,*
*You are master of your situation*
*Because you have never sized it up.*
*You have already reached your destination.*

David Paul, *The sleeping passanger* (1946)

# Uno

Los dos ochos del anuncio giraban velozmente en sentido contrario, uno amarillo y otro azul. Hasta que se apagaban y se encendía la botella, aquel fluir movedizo de los colores producía desasosiego. Gloria aplastó el pitillo contra el cenicero que estaba en la alfombra, a los pies del sofá y se quedó con el brazo colgando. A compás de aquel hormigueo de los círculos de la fachada de enfrente que se colaba por las cortinas de gasa, las ideas se le fragmentaban y sólo parecían detenerse en una imagen estable (la de Diego, de espaldas, buscando aquellos papeles por la mañana) cuando, tras la danza de los ochos, la habitación quedaba unos instantes en penumbra y estallaba silenciosamente el dibujo de la botella roja. Empezaba entonces a reconstruir el gesto de Diego al abrir el cajón, la manera que tuvo de volverse hacia ella y preguntarle si hacía mucho que estaba despierta, pero inmediatamente se disolvía y desbarataba otra vez la recomposición de la escena con el irrumpir de aquellos giros obstinados y simultáneos que seguía viendo aunque cerrara los ojos y que arrastraban en remolino sus indolentes conatos de concentración.
Se levantó haciendo un esfuerzo, abrió las puertas correderas que comunicaban con el dormitorio, se quitó el vestido y se tumbó a tientas sobre una de las dos camas. Allí estaban las persianas cerradas y se descansaba del anuncio, pero tampoco la oscuridad la podía soportar. Dio la luz de la mesilla alargada que separaba las dos camas. Había una pila de libros, ojeó distraídamente los lomos, cogió uno al azar y lo abrió. Estaba muy leído, subrayado en algunos pasajes e incluso con notas al margen en una letra muy clara, la misma que encabe-

zaba la primera página con un nombre en el ángulo superior: Isabel Alvar. Siempre le dio envidia la letra de Isabel, ella nunca había tenido la letra bonita por mucho que se hubiera empeñado en hacerla grande y original. Dejó el libro, era un tema de sociología aburridísimo, y para compensar la desazón que le invadía siempre ante el mensaje indescifrable de los libros que leía Diego, levantó una de sus piernas desnudas y se puso a mirársela con complacencia desde el pie rematado por uñas pulidas y primorosas al muslo terso y suave que aún conservaba el moreno de las playas de Ibiza.
De pronto se sintió mirada desde el umbral y se sobrecogió; no había cerrado las puertas correderas. Y cuando, rectificando su postura y volviéndose hacia allí, sus ojos se encontraron con los de Pura, la criada silenciosa cuya silueta se le aparecía por todos los rincones y cuyos servicios habían llegado a hacérsele tan imprescindibles como desagradables sus reticencias, experimentó una mezcla de irritación y alivio al acordarse de que ya no iba a tener que soportarla por mucho tiempo, un día más a lo sumo. Se la imaginó recogiendo sus enseres con aquellos gestos dignos y pulcros de castellana sobria, aleccionando a la chica nueva, pasando por última vez sus manos expertas sobre las sábanas, muebles y vajilla de la casa, despidiéndose con frases distantes, cogiendo, por fin, la maleta. Tal vez incluso Isabel insistiera en acompañarla a la estación; imaginó los posibles comentarios de las dos, paradas allí en el andén y su nombre —Gloria— implícito en todo lo que decían y callaban, pero le daba igual, había quedado más que sobreentendido que no se soportaban mutuamente y que lo de la enfermedad de aquella tía era un pretexto para no tener que largarse por las bravas. El caso es que se subiera al tren de una vez y se fuera a Benavente para cuidar a su tía o para retozar con los mozos de allí o para coger

en seguida un billete de vuelta y colocarse en otra casa, a ella qué más le daba.

Y por una súbita asociación de ideas, el nombre de aquel pueblo le volvió a evocar la escena de por la mañana, desbaratada poco antes en el zigzagueo luminoso de los ochos del letrero, y reconstruyó al fin las palabras con que ella misma le había puesto remate. «Pareces un marido de comedia de Benavente», le había dicho a Diego desde la cama cuando, tras sorprenderle hurgando en los papeles de su cajoncito, las miradas de ambos se encontraron en incómoda y tensa expectativa. «¿No comprendes que los amantes de ahora ya no escriben cartas?» Fue una frase formulada con el suficiente aplomo como para que aquella tensión, presagio de explicaciones, se disipara inmediatamente y con el suficiente desgarro como para que se sintiera orgullosa de haberla pronunciado; pero tampoco podía por menos de confesarse ahora que le amargaba la idea de haber estrangulado, al decirla, las palabras que sin duda estaba a punto de dirigirle él y que fueron sustituidas por aquel mutis brusco y silencioso. Y le picaba, como un capricho tardío, la curiosidad por aquellas palabras de rescate imposible, que echaba de menos con dolor, con la vehemencia que presidía todos sus remordimientos, porque de pronto comprendía que, malas o buenas, habrían tenido una función si no balsámica por lo menos terapéutica, de alcohol puro sobre una herida que está cerrando en falso, un valor revulsivo.

Pura seguía mirándola sin moverse, detallando con descarada libertad las líneas de aquel cuerpo semidesnudo. Se apoyaba ligeramente contra el quicio de la puerta y no había el menor asombro ni servilismo en su actitud. Daba simplemente la impresión de estar a la espera, asistiendo al proceso de aquellos pensamientos alborotados y fugaces que parecía penetrar y cuyo desenlace acechaba impasible.

Gloria se incorporó sobre el codo con ademán airado, al tiempo que lamentaba no haber sido más rápida en su reacción.

—¿Pero se puede saber qué hace usted ahí?

—Nada —dijo ella—, estaba esperando.

—¿Esperando a qué?

—A que me diera usted permiso para pasar.

Desconcertaba siempre el tono de su voz audaz y descarada. «Una voz insobornable», había dicho en cierta ocasión Diego, acompañando la palabra insobornable, de significado ambiguo para Gloria, con un gesto inequívoco de aprobación; comentario que, por cierto, dio pie a una de aquellas disputas primeras, apoyadas en nimias divergencias que insensiblemente derivaban hacia el encono y en cuyo tedioso discurrir anidaban ya los mismos vicios conyugales que tanto ridiculizaban y alardeaban de abominar. Y al pensar nuevamente en el estado de actual languidez a que habían llegado sus relaciones con Diego, Gloria notó que se estaba poniendo nerviosa y achacó su naciente cólera a la irrupción de Pura.

—No sé cuándo ha necesitado usted permiso para asomar por las habitaciones cuando menos se espera. Hay que preguntar si se puede, ¿no?

—No. La puerta estaba abierta. Cuando hay una puerta abierta, para mí es que se puede.

Eran las contestaciones lógicas y terminantes de Isabel. Ella inculcaba su estilo a todo el mundo. Trató de dominarse.

—Está bien, pase. ¿Qué quería usted?

Pura entró pausadamente, cerró el armario de luna que estaba abierto de par en par y recogió unas prendas de ropa tiradas por el suelo. Luego se dirigió a la cama

vacía, retiró la colcha y se puso a doblarla con cuidado.
—Venía a abrir las camas. Creía que había salido usted. Como nunca se sabe en qué cama hay gente y en qué cama no. ¿Quiere la bata esta? Se va a enfriar.
Ahora su voz había adquirido un acento menos desagradable.
—Sí, gracias. ¿Qué hora es?
—Serán las nueve y media, por ahí —contestó Pura mientras le alargaba una bata marroquí con botoncitos chicos.
Se sentó en la cama para ponérsela. Pura se inclinaba ahora de espaldas a ella sobre la otra cama alisando el embozo de la sábana planchada con primor. A saber cómo plancharía la otra chica. Pero trató de ahuyentar esta idea porque le pareció molesta.
—¿Está la señorita Isabel en casa? —preguntó, afectando descuido.
—Están en la cocina haciendo té.
—¿Están quiénes?
—Ella y su hermano con otro amigo. Vinieron antes.
Ahora volvía a mirarla, como esperando el interrogatorio. Gloria esquivó los ojos y decidió no preguntar nada, pero fue una decisión que duró pocos segundos.
—¿Qué amigo?
—No ha venido mucho por aquí. Tiene barba.
—Pero digo que de quién es amigo, ¿de ella o de él?
—Viene más bien con Jaime. Pero lo conocen los dos. Creo que es músico, toca la batería en un conjunto moderno, me parece.
—Y el señorito Jaime, ¿es que viene mucho ahora?
—Regular, lleva unos días que sí viene. ¿Le abro la cama ésa también?
—Bueno. Luego se lleva usted esta falda y me cose un poco la cremallera, si hace el favor.

Se puso de pie y empezó a abrocharse los botoncitos de la bata. Sonrió al recordar una frase de Pablo Valladares: «Oye, esa bata debe ser un tormento para tus amantes»; le gustaba toparse con recuerdos gratos y disipadores, que le hicieran olvidar que en el mundo se escriben libros de sociología. No pensaba preguntar nada más.
Acababa de encender otro pitillo cuando sonó el teléfono. Se sentó a cogerlo en la cama recién abierta.
—¿Gloria?
—Sí, soy yo.
—No te conocía, ¿qué te pasa? Hablas raro.
—Hombre, Pablo, qué casualidad, me estaba acordando de ti ahora mismo, de verdad.
Se le había puesto una voz súbitamente espabilada y alegre. Pura vio cómo subía los pies y volvía a tumbarse encima de las ropas que ella acababa de estirar.
—¿Sí? Me alegro de ser tan oportuno. Antes te llamé, ¿sabes?
—Salí para lo del doblaje, ya te contaré. ¿Dónde estás? Se oye mucho ruido.
—Estoy en *Géminis*. Tengo entradas para el estreno de Pancho. Te llamo para que te vengas, y así hablamos luego con él de lo tuyo.
—Estupendo. ¿Cuántas entradas tienes?
Hubo una pequeña pausa en la que estaba implícito el nombre de Diego. Gloria sabía que Pablo sabía que ella estaba pendiente de ver si lo pronunciaba o no. Pero no lo pronunció.
—Pues una, para ti. ¿Qué pasa? ¿Vienes?
Gloria sonrió imperceptiblemente y se permitió también ella una breve pausa. Eran pequeños alicientes para animar el juego de sobreentendidos al que Pablo la venía invitando últimamente.
—Sí, sí, ahora voy. ¿Me esperas ahí?
—Aquí te espero, no tardes.

—No, hasta ahora.
Se había olvidado completamente de Pura. Cuando colgó el teléfono la vio salir con unas prendas de ropa al brazo. Acababa de traspasar el umbral del dormitorio y se sumía en la penumbra de la habitación de al lado.
—¡Pura!
Se volvió.
—Mande.
—Venga un momento, por favor, deje eso.
Pura depositó las ropas cuidadosamente en el respaldo de una butaca, antes de ir. Se acercó.
—Diga.
—Es que voy a salir. ¿Tengo planchado el traje negro?
—Sí, señora.
—Sáquelo a ver.
Pura abrió el armario, descolgó una percha y la trajo hasta la cama. Colgaba de ella un traje de gasa negro, forrado de glasé, impecablemente planchado. Gloria se confesó, ya sin reservas, que iba a echar de menos a Pura.
—¿Lo pongo aquí?
—Sí, muchas gracias; y sáqueme también los zapatos de raso.
Se empezó a desabrochar los botoncitos de la bata.
—Aquí tiene, ¿necesita algo más?
—No, nada más.
—Entonces no cenan en casa.
A Gloria le inquietó aquel plural. Pero reaccionó en seguida.
—Yo no, el señor no sé. ¿Le dijo a usted algo al irse?
—Nada, que se iba al pueblo del señorito Víctor a buscar a la chica nueva. Preguntó si sabía dónde había ido

usted, pero yo no lo sabía, así que no se lo pude decir. De hora de volver no dijo nada.

—Se entretendrá allí, seguro, con el señorito Víctor. Ahora le dejo yo una nota. La cama de la chica la ha preparado ya, ¿no?

—Sí, claro.

—Pues nada, la atiende un poco cuando llegue y ya mañana la conoceré yo. ¿Usted cuándo se va por fin?

—Mañana o pasado, no sé, depende de mis tíos que han quedado en hablar con un amigo suyo por si me puede llevar en coche.

—Bueno, Pura, pues hasta mañana. Y cierre al salir.

Cuando sonó el ruidito de las puertas al correrse, Gloria se miró unos instantes en la luna del espejo, con la bata abierta y luego se dirigió al cuarto de baño. Pero antes, al pasar junto a la ventana, se asomó a ver qué tarde se había quedado.

Era un noveno piso y subía un rumor sordo de los coches que circulaban sin cesar por la avenida cuajada de gente y de luces. Miró el cielo ofuscado de neblina. Había refrescado y parecía que iba a llover. Así, con la ventana abierta, el anuncio de la botella aparecía incorporado a todos los que se alineaban hasta perderse de vista a lo largo de las fachadas de la avenida, envueltos por la polución de la ciudad, y aunque los ochos seguían girando velozmente en sentido contrario, uno amarillo y otro azul, habían perdido su hechizante resplandor.

## Dos

Una de las veces —probablemente muchas— que en aquel sábado de finales de septiembre se rondase la frase de: «Es horrible, tardaría uno menos yendo a pie», semejante exclamación literal cuajó a las nueve y media en el interior de un Mercedes tapizado de rojo que entraba en Madrid por la Plaza de Castilla y que se había visto forzado a detenerse, obstruido por la larga caravana que le precedía. Debieron ser estas palabras del conductor o la rúbrica de hastío que las acompañaba —la ojeada inquieta al reloj, aquel chasquido de la lengua contra el paladar y algo que añadió entre dientes coreado por la estridencia insistente de las bocinas— como un revulsivo fulminante para su compañera del asiento anterior, una mujer rubia y elegante, de rostro ya bastante ajado, porque de pronto abrió la portezuela sin decir una palabra ni mirarle y, tras un brusco portazo, sorteando recién apeada el morro de otro coche que había a la derecha, alcanzó la acera y echó a andar a paso vivo con la cabeza erguida.

La escena había sido tan muda y rápida que la muchacha del asiento trasero tardó un rato en entender lo que había ocurrido, e incapaz de discernir, por otra parte, la medida en que tan inesperados acontecimientos la atañían ni saber de qué forma intervenir, volvió a abandonarse a la molicie del asiento, y aún sin dejar de mirar con sorpresa aquella esbelta figura que se alejaba y se perdía entre la gente, ajustó su actitud a una tensa y silenciosa expectativa. Ni siquiera se atrevía a levantar los ojos hacia el espejito para buscar en la expresión de su compañero de viaje algún dato sobre su reacción, porque más que ninguna otra cosa la intimidaba ahora el hecho de haberse quedado a solas con él en un ámbito tan reducido; sólo era capaz de mirar hasta la altura del codo que sacaba por la ventanilla mientras detallaba la pieza de cuero que reforzaba la manga verde del jersey, un verde apagado muy sedante; le gustaba aquel color de lana. Pero de improviso ocurrió algo que nunca hubiera esperado: aquel codo abandonó su postura para facilitar la torsión del cuerpo que, apoyándose ahora en el respaldo contra el otro codo, se volvía inequívocamente hacia ella.

—¿Qué hay?, ¿vas muy cansada? —oyó que le preguntaba una voz dulce y tranquila.

Levantó la mirada, tras una pequeña vacilación, hacia aquel rostro atractivo que la estaba mirando.

—Sí, señor, un poco —dijo con un hilo de voz.

No podía sonreír ni tampoco seguirle mirando. A la gratitud que experimentaba se sobreponía una sensación incómoda de extrañeza al ver que para él no parecía haber ocurrido nada digno de una explicación. El coche continuaba parado y el hielo del silencio se había roto, a pesar del clamor de las bocinas.

—Debe de haber pasado algo ahí delante —comentó él—, ¡vaya un atasco!

Había sacado la cabeza por la ventanilla para otear la situación pero ahora volvía a mirarla casi sonriente. Podría creerse incluso que se iniciaba una coyuntura propicia para conversar pero estaba demasiado cansada. Además el respeto y el pasmo se aliaban para frenar cualquier pregunta de las que le hubiera interesado formular. Ninguna se le venía a la lengua: ni relativa a la situación actual ni otra cualquiera de las muchas que se le habían ocurrido en el curso del viaje cada vez que, interrumpida en el hilo de sus propias preocupaciones por el tono hiriente y alterado de la conversación de delante, casi toda en una lengua extranjera parecida al español, se le evidenciaba la presencia de aquellos dos desconocidos con los que viajaba y más aún el recuerdo de las relaciones que habría de mantener con ellos en adelante, consideración más turbadora cuanto más se alejaban del pueblo dejado atrás.

—Lo peor es siempre la llegada —dijo él como si adivinara sus pensamientos—. Esto no es Matalpino. Ya verás lo que nos lleva atravesar Madrid en sábado: casi tanto como el viaje. ¿Por qué no te tumbas, si vienes cansada? Te da tiempo hasta a echar un sueño, de verdad.

Lo había dicho con una voz tan persuasiva que no pudo sustraerse a su influjo y se atrevió a subir los pies al asiento después de descalzarse con cuidado. El coro de bocinas había cesado y ahora el silencio era doblemente agradable. Cuando el coche volvió a ponerse en marcha lentamente, miró aún unos instantes los edificios, la gente, los bares, las tiendas ya cerradas, pero a la señora rubia no la vio por ninguna parte. Luego, acunada por el incipiente vaivén del coche, que en seguida se hizo más rápido, cerró los ojos, y era mucho más grato el color de los círculos y estrellas que empezaron a dibujarse por dentro de ellos que aquel gris hostil de la ciudad que iba a tragarlos. Se sumió en un sueño confiado e infantil.

La despertó a medias la suave presión de una mano sobre su hombro. Estaba oscuro y no se acordaba de nada. Sólo de que estaban juntos, de que lo tenía allí acostado con ella; la acariciaba, estaba amaneciendo en un cuarto de paredes color verde manzana; no se iría nunca.

—Gonzalo —murmuró dulcemente mientras volvía a cerrar los ojos.

Pero los abrió en seguida porque la presión de la mano había desaparecido bruscamente.
—Siento mucho despertarte, mujer —pronunció una voz que de repente reconocía—. Pero hemos llegado.
Se incorporó aturdida. Ah, sí, el viaje. ¡Qué vergüenza! ¿La habría oído? ¿Por qué estaba aquello tan oscuro? Salió a una especie de almacén color cemento con el techo bajo y vio su maleta allí en el suelo. La iba a coger pero las otras manos se le adelantaron; eran unas manos grandes y finas como las que en sueños la acariciaban.
—No, quita, ya lo llevo yo. Dejo siempre el coche aquí porque delante de casa no suele haber sitio para aparcar. Pero estamos muy cerca.
Echó a andar precediéndola junto a las filas de coches alineados. Cuando salieron del aparcamiento, ya se acordaba perfectamente de todo y tenía en la garganta el nudo de todos sus últimos despertares más denso ahora ante la expectativa de la situación que había que afrontar. ¡Qué bonito sería dormir siempre! La calle bullía de luz artificial y movimiento, emitía ruidos encontrados y confusos. Sintió que se mareaba, algo parecido a una vez que había subido de excursión con unos chicos a la cima de la Maliciosa y a mitad de la vertiente le dio por mirar hacia abajo. Su compañero iba un poco delante de ella y andaba a zancadas largas, le fallaban las piernas, no lo podía seguir. Se tuvo que apoyar en la pared.
—Espere, por favor.
Pero no la oyó ni la echó de menos en seguida. Casi lo había perdido de vista ya entre los vapores de su desfallecimiento cuando le pareció notar que se volvía a buscarla entre la gente. Cerró los ojos. Un brazo la estaba cogiendo.
—¿Se marea?

—Sí.

Era otra voz sin matices, la de algún transeúnte casual. Pero, por fin, ya estaba aquí, más afectuosa y cálida, la de quien era ahora su único puente con el mundo. Se sintió mejor.

—¿Qué te pasa? ¿Te pones mala?

Había desplazado a aquella otra persona y le daba las gracias brevemente. Abrió los ojos y le miró a la cara por primera vez con una sonrisa tímida.

—No es nada, ya se me pasa. Es que llevo unos días durmiendo mal, con los nervios de venir y eso.

Le hablaba con confianza y naturalidad como en el curso de una borrachera. Era alto y guapo. Le gustaba mirarlo. Le gustaban los hombres mayores.

—Bueno, mujer. Ya es aquel portal. ¿Te animas o esperamos un poco?

—No, no, ya estoy mejor.

—Pues vamos.

La cogió del brazo y en la otra mano llevaba su maleta. Había visto una vez en Villalba una película que se llamaba «La chica de la maleta». Era una chica que no conocía a nadie en la ciudad, se veía allí perdida y sola con su maleta. A ella, en cambio, le llevaba la maleta este hombre alto y bien vestido. Habían salido juntos de noche a una calle grande surcada de señales, ruidos y reflejos que él descifraba y reconocía. No se podían perder y, aunque se perdieran, casi mejor, lo triste es perderse una sola. Iban juntos por el río de la ciudad, como si tuvieran un pasado común, cualquiera que los viera podía creerlo una pareja que va en silencio cogida del brazo como las demás y que avanza por la calle camino de donde sea, no hacía falta llegar a ningún sitio, qué bien se estaba de pronto, ya no sentía mareo, le llegaba con la cabeza por la barbilla.

—Aquí es. Pasa.

Una alfombra mullida, unos tiestos grandes con plantas raras, sofás, cuadros, parecía una casa aquel portal. El portero se había acercado a él, le daba unas cartas y le decía no sé qué del señorito Jaime, sin mirarla a ella, que se había quedado apoyada junto al ascensor, excluida. Y luego, una vez dentro, recostada contra el espejo, miraba de reojo su cuerpo y el de ella que no osaban tocarse, deliberadamente apartados por la maleta posada en el suelo de aquel recinto más estrecho aún que el del coche. Eran los cuerpos de dos desconocidos. Subían en silencio, pero un silencio violento, no como el de antes en la calle.

—¿Ya te encuentras mejor?

Hasta la voz le parecía más impersonal, como distraída.

—Sí, sí, no se preocupe.

—Hoy te acuestas pronto y mañana será otro día. Es natural, siempre cuesta cambiar de ambiente.

—Mucho, sí, señor. Pero a todo se hace una. Además he sido yo la que he querido venir.

Lo había dicho con una punta de desafío.

—Espero que no te arrepientas, mujer.

Habían llegado. Aquella maleta tan fea era todo lo que había traído del pueblo y la cogió con decisión, con una fortaleza nueva, de persona a ras de tierra. Él esta vez se lo permitió; estaba sacando las llaves y abriendo una puerta donde ponía SERVICIO en letras doradas.

—Ya estamos. Pasa.

Pasaron por una terracita a una estancia muy amplia con luz de neón y azulejos de flores. Separada por una puerta de cristales se veía una cocina preciosa.

—¡Pura!

Se incorporó una mujer que estaba agachada metiendo algo en el horno y, después de secarse las manos, abrió

la puerta de cristales y vino hacia ellos. Miró a la chica con una expresión neutra.
—Buenas tardes, Pura, le presento a Luisa. Dijiste que te llamabas Luisa, ¿no?
—Sí, señor.
—Hola —dijo Pura—. Bienvenida. Trae.
Le cogió la maleta y la puso sobre un estante ancho que había a la izquierda. Tendría unos cuarenta años, fea de cara pero buen tipo.
—Nos hemos retrasado mucho. ¿Está la señora?
—Ha salido hace un rato. Le ha dejado a usted una nota en el dormitorio.
—Ya. ¿Isabel también ha salido?
—No. Está con Jaime y otro amigo en su cuarto, ¿no oye la música?
Se oía, en efecto, desde que habían entrado, una música estridente como la de la discoteca de Villalba.
—Sí, ya la oigo. Voy a verlos antes de que se escape Jaime. ¿La señora no dijo a qué hora volvía?
—No dijo nada. Lo pondrá en la nota.
—Claro, tiene usted razón. Bueno, pues Luisa que cene algo si tiene gana y que se acueste. Viene muy cansada la pobre. Ya mañana le explicarán lo que sea.
—De acuerdo.
—Buenas noches, Luisa.
—Buenas noches.
Se había quedado sola con la otra chica. No sabía si hablar o esperar a que hablara ella. Por fin se decidió.
—Oye, perdona, ¿no te importa que te haga una pregunta?
—No, claro. Pero espera un momento que voy a cerrar el horno. Siéntate ahí si quieres, ahora vengo.
Se sentó en un banco corrido que hacía esquina y tenía delante una gran mesa redonda de mármol iluminada por una lámpara verde colgada del techo, de esas que

suben y bajan. Sobre el banco había almohadones de colores y encima de la mesa restos de merienda, papeles y bolígrafos. Era un rincón muy agradable. Primero se entretuvo en mirar la silueta de Pura que trajinaba dentro del recinto de cristales, luego se fijó en los papeles de encima de la mesa. Algunos estaban escritos con una letra grande que se entendía muy bien, pero en idioma extranjero, y unas estrofas debajo de otras. Por algunas palabras sueltas como «love» vio que era inglés. Debían ser letras de canciones. Pura entreabrió la puerta de cristales y asomó la cara.

—¿Quieres cenar algo?

—No, no tengo gana. He merendado mucho.

—Pero por lo menos un vaso de leche.

—Bueno.

—¿Caliente o fría?

—Fría, me da igual.

Vino Pura con el vaso de leche y un paquete de galletas y se sentó junto a ella en el banco corrido. Luisa bebió un sorbo de leche. Sabía a medicina. La leche de su pueblo es lo que más iba a echar de menos, ya lo decían todos los que se venían a Madrid.

—Dime, ¿qué me querías preguntar?

—Nada, es que me ha parecido oírte decir que la señora ha salido hace poco.

—Sí, ella sale mucho de noche. A eso te tendrás que acostumbrar.

—No lo decía por eso. Yo es que, ¿sabes?, creí que la señora era una que venía con nosotros en el coche durante el viaje.

Pura la miró con sorpresa.

—¿Que venía una señora con vosotros?

—Sí, y estaba antes también con él en casa de su amigo Víctor Poncela, uno que se ha ido a vivir ya hace bastante a dos kilómetros de mi pueblo porque pinta y eso. Tiene una casa grande, preciosa, al pie de la montaña.

—Sí, sí, el señorito Víctor; ya lo conozco.

—¿Ah, lo conoces? Pues ése. Es el que me dijo que sabía de una casa para servir y convenció a mi madre porque ella no quería. Le pedí yo que la convenciera. Es buenísimo.

—Ya, sí lo conozco mucho. ¿Y estaba ella en su casa?

—Sí, yo es que fui ya con la maleta porque era allí donde habíamos quedado, y como me estaban esperando porque me retrasé un poco por culpa de mi madre y nos metimos en seguida en el coche, entre los nervios y las prisas yo qué iba a saber, los vi allí a los tres y que el señorito Víctor la besaba al despedirse, pues dije, nada, será la señora. Un poco me extrañó que casi no me hablara y que él me hablara mucho más, pero pensé: bueno, será que es antipática, cómo se me iba a ocurrir que no fueran matrimonio.

Pura estaba mirándola con una media sonrisa ligeramente suficiente.

—Es que son matrimonio —dijo con fría parsimonia—. ¿No es ella rubia, de unos cincuenta años?

—No sé si tendrá cincuenta años, rubia sí es y habla todo el rato muy nerviosa en un idioma parecido al español, pero que no se entiende.

—Sí, portugués. La misma. Esa es su mujer, la de antes. Se llama Agustina.

—¿Cómo que la de antes? ¿Y entonces la que vive aquí?

—Pues la de ahora... ¿qué quieres que te diga?

—¿Pero están casados?

—No, con la otra está casado, con la que has visto tú. Yo cuando entré en la casa, todavía vivía con ella, aunque ya se llevaban muy mal. Entonces vivían en un chalet un poco antiguo, donde sigue ella, era bonito, pero con el suelo de madera y tres pisos, fíjate, muchísimo trabajo, acababa una rendida de tanto subir y bajar escaleras. Ya va para cinco años que entré; en seguida se vinieron aquí.

—¿Y por qué te vas?

—Bueno, he estado por irme muchas veces. Yo a esta señora la aguanto mal. La otra estaba muy loca, pero no tenía malas maneras ni tanto orgullo. Te aburres también de hacer las cosas con todo cuidado para una tía que no para en casa y que ni es señora ni es nada. He ido aguantando porque paga muy bien, eso sí. Pero yo también tengo mis cosas y buena gana de agriarse la vida. Es mucho arroz. ¿Tú qué tal planchas?

—Yo, regular. Me parece que ninguna cosa la hago muy allá.

—Si plancharas bien, te sería más fácil. Tiene una perra con lo del planchado. Pero es según le dé, a lo mejor te coge un cariño enorme. Yo es que tampoco tengo muy buen carácter, y me he cansado de estar pendiente de los humores de los demás, chica, no compensa.

Luisa se había acabado la leche y notaba que le estaba entrando sueño, pero le daba muchísima pereza levantarse.

—Me da pena que te tengas que ir —dijo.

—Mañana estoy todavía. Pero además viene todos los días Basi, una asistenta mayor que conoce muy bien la casa. Te llevarás estupendamente con ella, tiene una paciencia de santo. Y además la casa es buena, entiéndeme, te dejan salir mucho y no te tratan mal. Lo único es que procures pensar en tus cosas y no andar pendiente de entenderlos porque entonces te has caído de un guindo. Anda, vete a acostar, que te veo con sueño.

—Sí, estoy algo cansada.

Se abrió la puerta y una chica pelirroja con vaqueros se asomó y preguntó sin entrar:

—Pura, mira a ver si he dejado por ahí unos papeles escritos en inglés.
—Serán estos —dijo Luisa.
Los levantó en la mano para enseñárselos y la muchacha entró a cogerlos.
—Sí, estos son. Gracias.
—Es la chica nueva. Se llama Luisa —dijo Pura—. Ella es la señorita Isabel.
Isabel le tendió la mano.
—Mucho gusto. Ya me había dicho mi padre que eras muy guapa. ¿Cuántos años tienes?
—Veinte —contestó Luisa, algo turbada.
—Igual que yo. Pues pareces más pequeña. Luego vengo a verte, ¿sabes?, es que se va un amigo y le tengo que dar esto.
—Luego no andes viniendo, que se va a acostar —intervino Pura con aire de mucha confianza.
—Bueno, pues mañana —dijo Isabel, ya saliendo—. Ah, Pura, papá, que cuando buenamente puedas, vayas a su cuarto.
Pura se levantó y se puso a recoger la mesa.
—Ésta es un sol —dijo—, por ella no me iría nunca. Ya le he dicho que si alguna vez se casa que me llame, pero me parece que tiene pocas ganas de casarse, y le alabo el gusto.
—Es hija de la mujer que yo he visto, ¿no? —preguntó Luisa.
—Sí.
—¿Y cómo no vive con su madre?
—Pues, ya ves, cosas, que no se llevan bien. Tienen un carácter muy distinto. Con la madre se lleva mejor el otro, y ésta con el padre.
—¿El otro no está aquí?
—No. Unas veces está con la madre y otras por ahí. Pero lo conocerás de sobra. Viene bastante, casi siem-

pre a armar follón. Con ése me entiendo peor. Es medio así.
—¿Así, cómo?
—Pues, raro, yo lo veo amariconarse por días.
A Luisa se le había puesto una mirada descolorida y Pura lo notó. El bajón de la llegada, claro.
—Tú no les hagas caso a ninguno, te lo tienes que tomar como si vieras una película. En el fondo esta gente así tiene la ventaja de que te deja mucha libertad y no se meten en tus costumbres. Yo he estado en casas muy formales y casi es peor. Irás al cielo derecha, hija, pero también te corres unas juergas...
A Luisa le había caído mal el vaso de leche. Tenía un poco de basca.
—¿Y ya no te vas a poner a servir en otra casa? —preguntó sin moverse.
—Cualquiera sabe. Ahora de momento me voy a mi pueblo. Aunque luego igual me aburro y echo de menos esto, no te digo que no. Son un vicio, chica, las ciudades grandes, eso de salir a la calle y hacer lo que te dé la gana sin que nadie te conozca. Pero sería mejor otro trabajo. Ponerse a servir en los tiempos que corren es un atraso, Isabel siempre lo dice.
—Sí —dijo Luisa—, mi madre también lo dice.
—Y tiene razón. ¿Cómo te ha dado a ti por ponerte a servir?
Luisa había bajado los ojos y estaba jugando con un reguero de azúcar caído sobre el mármol. Dibujó una G. mayúscula.
—Es que tenía que venir como fuera y no se me ocurría otro pretexto —dijo—. Tengo que resolver una cosa aquí en Madrid.
Pura miró sus mejillas arreboladas, los dedos casi infantiles que moldeaban aquella inicial, el largo pelo castaño que en aquel momento le ocultaba a medias la ex-

presión apasionada del rostro como en una complicidad deliberada, los labios voluntariosos, y en seguida se figuró que aquel asunto sería de amores.

—Ya... siendo así —se limitó a decir.

Luisa levantó la cara y se miraron. Le brillaban los ojos negros con un fulgor de pasión y rebeldía.

—Me ha costado mucho venirme, no creas, muchísimo, pero...

—Ya, claro —dijo Pura—, tú sabrás, son cosas muy personales ésas. Cada cual entiende su vida.

Luisa se sintió tentada de entrar en confidencias, de decirle que no es verdad que cada cual entienda su vida, que ella estaría necesitando ahora mismo el consejo de alguien, y cuanto más desconocido, mejor. Pero se contuvo.

—Me gustaría contarte lo que me pasa, pero me voy a acostar, ¿sabes?, llevo unos días durmiendo fatal.

—No te preocupes, yo no soy curiosa. Anda, ven que te enseñe el cuarto, te estás cayendo de sueño.

Se levantó Luisa y cogió su maleta. Pura abrió una puerta que había al fondo de un pasillito corto y dio la luz. Apareció un cuarto decoroso y limpio, empapelado de azul. Había dos camas.

—La de la derecha es la tuya —dijo Pura—. Yo no sé si tardaré un poco todavía. Tengo que lavar unos cacharros y ver lo que me quiere el señorito. En esa puerta de ahí tienes el servicio. Hala, mujer, que duermas bien.

—Gracias por todo —dijo Luisa.

Pero no se besaron.

La habitación daba a un patio y las camas tenían colchas de cretona. Luisa apartó la suya, apagó la luz y se desnudó a oscuras con la ventana abierta. No tenía ánimos ni para sacar el camisón de la maleta y se acostó en combinación. La cama tenía las sábanas frescas y estiradas y estaba debajo de la ventana. Era un último piso y el cielo se veía cerca enmarcado por el cuadrángulo del patio. Entre unas nubes enrojecidas por el vaho luminoso de los letreros había tres estrellas extraviadas, chapoteando entre aquellos charcos de sangre sucia que las anegaban a ratos. Trató de entretenerse en clasificar los ruidos confusos que exhalaba el patio, pero era muy difícil. ¡Cuántas casas desconocidas, cuántas mesas con comida, cuántas camas con gente abrazándose, riñendo, durmiendo, pensando! Cerró los ojos.

—Gonzalo —murmuró contra la almohada—. Gonzalo.

Y se echó a llorar.

# Tres

—Me ha hecho polvo la noche, te lo aseguro, no sé para qué se me ocurriría venir —dijo Jaime, cuando salían de casa de su padre.

El chico de la barba iba delante con una guitarra en bandolera y, cuando volvió la cabeza para atender a lo que le decía su amigo, vio que se había parado con el portero.

—Ah, estaba usted arriba, señorito Jaime. Pues su padre me ha preguntado antes y le dije que creí que ya se había ido. Cuánto lo siento.

A Jaime le molestó el tono oficioso del portero. Había en sus miradas y sus maneras como una alusión velada a escenas más o menos escandalosas de cuando él vivía aquí.

—Gracias, Antonio, ya he hablado con él. Hasta luego.

—Adiós, señorito, que siga usted bien.

El chico de la barba estaba ya en la calle mirando a todos lados.

—Oye, no he entendido lo que me decías antes. ¿Tú te acuerdas de dónde hemos dejado el coche?

—Sí, claro, lo tienes allí mismo enfrente, en la callecita. Nunca te fijas en nada ni te enteras de nada.

—Ah, sí, ya lo veo. Pues vamos.

Estaba a punto de apagarse la luz verde del semáforo y cruzaron corriendo. En la esquina de la calle, Jaime se detuvo y se apoyó en un escaparate. Emitió un ruidoso suspiro y se quedó pensativo con la barbilla en la mano, exhibiendo su cansancio con estudiada afectación.

Pero el chico de la barba había llegado al coche sin hacerle caso y se buscaba las llaves en el bolsillo, después de depositar la guitarra contra la rueda delantera.

—¡Joaquín! —le llamó Jaime—. Podías esperar.
El otro volvió la cabeza y le miró con descuido.
—Venga, ¿qué haces ahí?
Abrió la portezuela del coche, metió la guitarra, arrodillándose en el asiento de delante y luego dio unos pasos hacia Jaime, que seguía componiendo la pose de niño que pretende hacerse contemplar.
—¿Qué te pasa? —le interpeló, sin llegar hasta él—. ¿Ya empiezas con tus números?
—Estoy agotado. ¿A dónde vas?
Se hablaban alto, separados por los transeúntes. Joaquín llegó hasta su lado.
—Pero, bueno, ¿cómo que a dónde voy? A dónde vamos, dirás. ¿No hemos quedado en *Avizor* con ésos?
—Sí, pero yo no sé qué hacer. Estoy en un *impasse*.
Joaquín se encogió de hombros con impaciencia y le volvió la espalda.
—Mira, pues ya eres mayorcito. Tú sabrás. *Ciao* —dijo, mientras echaba a andar nuevamente hacia el coche.
Hasta que tuvo las llaves metidas en el contacto no volvió a mirar para la esquina de la calle. Entonces vio, a través de los sucios cristales, cómo Jaime se despegaba del escaparate y se acercaba a pasos cansinos e indolentes con las manos metidas en los bolsillos y aquel mechón de pelo rubio oscuro que fascinaba a hombres y mujeres cayéndole sobre la frente. Esperó para arrancar y le abrió la portezuela.
—Venga, marqués, que te eternizas.
Subió Jaime, aún indeciso y de mala gana, y el otro se puso a hacer la maniobra. Tenía poco sitio para salir.
—Lo malo de tus *shows* no es que necesites siempre de un público que los comprenda sino que acabas creyéndotelos tú. Ahora seguro que estás cansado de verdad.
—No hables tanto mientras haces la maniobra, anda.

—Parecías un maniquí de Cacharel delante de esa tienda de modas. Si llegas a estar más rato, te juro que entro a cobrarles algo por la *réclame*. La gente te miraba. Ya ves, ahí podías tener un porvenir con ese oficio.

—Le has pegado al coche de atrás.

—Que se jorobe, por la guitarra lo siento.

Hizo un esguince hábil y el coche arrancó de estampía. Jaime, cuyo rostro se había oscurecido, se arrebujó en el asiento tratando de hacer patente el quiebro que había dado su humor, a base de exagerar el gesto hosco y enfurruñado. Miraba de reojo el perfil de su amigo que conducía de forma imprudente y todo lo vertiginosa que le permitía la circulación, mientras silbaba un tema de Beethoven. Rebasada la Plaza de Neptuno sin haber pronunciado palabra ninguno de los dos, Jaime empezó a temer que el silencio se hiciera demasiado largo y que los pocos arrestos que le quedaban para mantener vigentes sus preocupaciones se le evaporaran. El otro no abandonaba su aire distraído ni parecía dispuesto a rectificar el itinerario; Jaime cambió de postura y le miró.

—Oye, Joaquín —dijo, con una súbita mansedumbre—, me parece que me voy a pasar por casa, ¿sabes? Me gustaría mucho que me acompañaras. Te lo pido por favor.

—¿Pero acompañarte a dónde? ¿A la buhardilla? —se cxtrañó Joaquín que, por toda reacción, había dejado de silbar.

—¡A la buhardilla! No te enteras nunca de nada. A casa de mi madre, digo. A la buhardilla para qué. Es inútil, la culpa la tengo yo por contarte mis cosas, por creer que alguna vez me escuchas y te enteras de algo.

Joaquín le miró, cortante.

—Oye, mira, monsergas ni reproches no, que hoy es sábado. Yo me entero de lo que me explican en condiciones, y las películas de misterio me aburren de muerte. Ya está bien. A ti te encantaría que te estuviera uno mirando al trasluz a cada minuto para descifrarte, te crees que eres el centro del mundo.

Jaime callaba con los ojos bajos, como esperando que su amigo le instara a hablar.

—Y no te pongas así, que tampoco te he dicho nada —continuó Joaquín—. Sólo te he dicho que si te pasa algo me lo expliques, que yo a adivinarlo no me voy a meter. ¿Qué es lo que te pasa?

—Nada, que me ha hecho polvo mi padre. Parece mentira que no te hayas dado cuenta de lo mal que me ha dejado.

Joaquín puso un gesto cómico de sorpresa.

—¿Tu padre? No entiendo. Pero si no te ha dicho nada tu padre, te trataba de cine. Por cierto, que yo no lo veo pedante, como tú decías. A mí me ha caído bien.

—¡Y qué tendrá que ver eso!

—No sé, pero además, perdona, no me he dado cuenta de lo que te ha dicho. Estaba hablando con tu hermana. ¿Qué te ha dicho? No seas tan difícil, hijo, por amor de Dios.

—Si no soy difícil, es que me duele que te importen tan poco mis cosas. No me digas que no te has enterado de la escena que ha tenido con mi madre viniendo de ese pueblo, lo contó nada más entrar. ¿O tampoco te acuerdas?

—Ah, bueno, sí, pero no me ha parecido que le diera importancia. Estaba más bien fastidiado, pero disgusto grave no se le notaba.

—Claro, a él no.

—Ni a tu hermana tampoco.

—No, tampoco; pues ahí está, que no la quiere ninguno de los dos, que les importa un bledo ella.

Joaquín repitió el gesto sorprendido de antes. Consistía en quedarse un rato con la boca abierta y los ojos arru-

gados antes de proferir palabra, como si no hubiera oído bien.
—¿Quéee? Vaya, hombre, y tú sí la quieres, lo que me faltaba por oír. Te pasas el día diciendo que es una peste, que no la puedes aguantar, que te amarga la vida, te largas de allí a cada dos por tres con cajas destempladas... por favor, aclárate, cielo.
De la arrogante afectación de Jaime no quedaba ahora ni rastro. Parecía concentrarse en cavilaciones que realmente le apesadumbraban.
—Me amarga la vida pero no me tiene más que a mí —dijo en voz baja—. Y hace más de una semana que no la veo.
—Y dos años yo que no veo a nadie de mi familia, pero maldita la falta que me hace. Cada palo que aguante su vela, chico. Tampoco ellos te quieren tanto como dicen.
—Yo no sé si me quiere —siguió rumiando Jaime—, no sé nada, me da igual. Sólo sé que me preocupa, que esta tarde ya no puedo pensar en otra cosa más que en ella.
—Bueno —resumió Joaquín, al cabo de una pausa—, entonces te llevo allí, ¿no es eso? Me meto por el Retiro.
Jaime asintió sin decir nada. Circulaban ahora más despacio. En un paso de peatones, Joaquín se volvió a mirarlo y le vio una cara muy triste. Con la mano derecha le acarició fugazmente la rodilla.
—No te hundas, Dorian, *please* —le dijo sonriendo—, que la noche es joven.
Por unos instantes, Jaime puso la mano encima de la de su amigo y aquel calor momentáneo acentuó su emoción. Casi se le traslucían lágrimas en la voz en el momento en que dijo:
—Sí, claro, no te hundas, se dice muy fácil. Para ti es

siempre fácil despreocuparte de todo, igual que Isabel; me dais envidia, yo no puedo.
—No puedes porque no quieres. Te debías venir a *Avizor* conmigo y en paz. Igual tu madre ni siquiera está en casa. Llámala por teléfono, por lo menos, primero.
—No hace falta, seguro que está. Y además estará deshecha. El año pasado, cuando se intentó suicidar, habían empezado con escenas como la de esta tarde. ¿No ves que la conozco de sobra?
—Pero, bueno, no consientas esos chantajes, no hay derecho tampoco, hombre, a que te cargue a ti con su vida. Con dinero se puede inventar lo que sea para divertirse, que haga un crucero, que se eche un amante, yo qué sé, algo, ¿por qué no se lo dices?
—Ya se lo digo, se lo he dicho mil veces, pero no vale de nada, Joaquín, no le importa más que mi padre, mi padre y se acabó. Es persona de un solo tema.
—En eso es como tú —dijo Joaquín.
—Yo también comprendo —siguió Jaime como si no hubiera oído el comentario de su amigo— que está en muy mala edad ya para cambiar. Ha cumplido cincuenta años en junio.
—Ah, es Géminis.
—No, Cáncer, del veintinueve.
—Ya.
—Y es una pena; de joven escribía. Y escribía muy bien, te advierto. Tiene unos poemas maravillosos.
—Ya me dijiste una vez, sí.
Se metieron por el Retiro. Había refrescado y empezó a levantarse mucho viento. Joaquín subió un poco la ventanilla.
—A ver si llueve y se limpia de una vez esta polución de mierda —dijo.
Y en la pausa que siguió calibraba mentalmente las escasas posibilidades que tenía aquel comentario banal

para desviar la atención de Jaime de su tema fijo, que reanudó, efectivamente, al cabo de breves instantes.
—Debería volver a escribir, pero no tiene estímulos ya. Y luego que tampoco la ayudamos nadie —dijo Jaime con voz contrita.
Joaquín se impacientó.
—No te empieces a incluir tú en las culpas, ¡vaya noche que tienes! ¿No has dicho otras veces que no hay quien la ayude, que no se deja ayudar ni a tiros? Cada día dices una cosa.
Jaime se miraba las rodillas cruzadas. Cada exabrupto de su amigo le hundía progresivamente en un pozo de solitaria zozobra.
—Sí, pero también mi padre me desespera. ¿A quién se le ocurre llevarla a Matalpino a buscar una criada para la otra casa? ¿Qué necesidad había? Son ganas de fastidiar.
—Ha dicho que se lo pidió ella.
—Pero, aunque se lo pidiera, él la tenía que conocer mejor que yo. Habrán llegado allí a la finca de Víctor, me lo figuro todo, se habrán puesto a hablar como si tal cosa, haciéndose los europeos, y eso para mi madre es igual que arrimar una cerilla a una gasolinera. Cuantos más esfuerzos haya hecho por estar normal y por imitar a Gloria, peor lo estará pasando ahora, en qué cabeza cabe someterla a eso.
—Se somete ella sola. Le gustará sufrir. Como a ti.
—No es que le guste sufrir, Joaquín, es que está enferma. ¿Cómo no lo verá eso él? Para estas cosas tiene la sensibilidad de un elefante.
Atravesaron el Retiro y salieron a Menéndez Pelayo. Joaquín aprovechó el silencio para hablar de la tormenta que se avecinaba. Se notaba ya abiertamente que aquel relato le aburría y que tenía prisa por llegar cuanto antes. Conducía otra vez a toda velocidad.

La madre de Jaime vivía en un barrio de chalets antiguos apiñados en una hondonada y rodeados por un cerco de grúas y excavadoras que amenazaban aquella terca y anacrónica supervivencia. Cada día se ganaban palmos al desmonte, se ponían los cimientos para nuevas edificaciones y se iban levantando con celeridad inmoderada altas fachadas insulsas que miraban al viejo reducto de los chalets con una estúpida superioridad de jirafas. Se metieron por las callecitas tranquilas. Había empezado a llover.

—El día menos pensado le tiran a tu madre la casa —dijo Joaquín— y se tiene que largar con todos los recuerdos a otra parte. Podía ser una solución, mira. Que le regalara otro piso tu abuelo.

—No quiere ella; no se quiere mover de aquí, es donde ha sido feliz, donde hemos nacido nosotros; el abuelo y mi tía Clara no hacen más que llamarla para que se vuelva a Portugal, pero no hay manera.

Llegaron delante de la casa y el coche se detuvo.

—Oye —dijo Joaquín—, una pregunta indiscreta. ¿Tu padre se casó por las perras?

—No, eso no. La quería. Mi madre era muy guapa. Algo mayor que él, pero guapísima, yo he visto fotos de quedarse uno helado. Y eso que las portuguesas tienen fama de feas.

—No, tu madre, desde luego, está todavía muy bien. A mí no me importaría nada hacerle un favor, si no fuera precisamente porque las mujeres cada vez me dan más miedo. Y luego que como a ella le da por el cultivo del «tanatos».

Joaquín bajó la ventanilla. Caían gruesos goterones de lluvia sobre las aceras débilmente iluminadas y respiró con ostentoso alivio. Al resplandor de un farol vio que su reloj de pulsera marcaba las once menos cuarto.

—¿Ves? —dijo Jaime, que estaba mirando hacia el cha-

let—. Tiene encendida la luz de su dormitorio. Ya te lo dije.
Joaquín volvió hacia aquella parte unos ojos distraídos.
—Ya veo, sí. Pues nada, guapo, suerte y al toro. Ahí te dejo. Luego vienes, ¿no?
—No sé qué decirte.
—Bueno, eso en ti es normal. En fin, tú verás. Llama, si no, más tarde. O ven a última hora a la buhardilla, es probable que caigamos por allí. ¿O.K.?
Jaime permanecía inmóvil y silencioso mirando fijamente la ventana iluminada.
—¿No quieres subir conmigo? —aventuró al cabo en un tono casi implorante.
—¿Yo? Dios me libre. No, hijo, para qué voy a subir yo.
—Pues porque me arroparías mucho, lo sabes de sobra. Y porque así me podría escapar antes. Tú a ella, además, le caes bien.
—Ya, bueno, pero es tu familia, a fin de cuentas, y yo ya hace mucho que me largué de casa por no aguantar a la mía, no fastidies, corazón.
—Ya sabía que me ibas a contestar eso. Perdona y que te diviertas.
—No te puedo desear lo mismo porque sería sarcasmo. Pero por lo menos no te dejes comer la moral, ¿vale? Y vente luego sin falta.
Jaime no contestó nada. Había dado un golpe seco a la portezuela para cerrarla y ya andaba bajo la lluvia con las manos metidas en los bolsillos y aquel gesto friolero de colegial. Joaquín le vio empujar la verja del chalet, subir los escalones, levantarse las solapas de la chaqueta y hurgarse en el bolsillo buscando la llave a la luz de la puerta. Las rayas de lluvia aureolaban su silueta delgada.
«Para qué le servirá a la gente el dinero», murmuró

Joaquín, al tiempo de arrancar nuevamente hacia calles mejor iluminadas.
Arreciaba la lluvia. Era granizo menudo. Tomó la dirección de Doctor Esquerdo y se puso a buscar música en la radio, cambiando continuamente de emisora. De pronto paró el botón. Había surgido una canción de los Beatles:

*...speaking words of wisdom,*
*let it be...*

—*Let it be — let it be — let it be — let it be* —coreó alegre y desafiante, mientras ponía en marcha el limpiaparabrisas. Tenía una voz de barítono muy agradable.

# Cuatro

«Agustina querida: querría tener la certeza de que en estos momentos, las cuatro de la tarde, mientras te escribo desde un café del paseo de Recoletos, estás tranquila, sin tristeza ni preocupaciones. Llevo cinco días sin carta tuya y pienso en ti continuamente, en que puedas andar desalentada, a mandobles con el tiempo, sin sacarle alegría ni provecho. Eso es lo que más me inquieta; si supiera a cada instante que estás bien, yo también lo estaría y tendría fuerzas para todo. Piensa esto, que necesito tus ánimos y tu confianza para trabajar y acortar la espera. Ya sé que la separación cría malentendidos y que cuando estamos juntos basta con una mirada para deshacerlos, pero si no tienes paciencia, me lo haces todo más difícil. Pronto tendremos horas y horas por delante para hablar, para callar, para hacer viajes, para tendernos bajo los árboles y mirar el mar alborotado que tanto te atrae, para afrontar juntos todos los trabajos. Pero yo no quiero que me den las cosas resueltas, me gusta vivir también este tramo de la tarea, es un tiempo que se puede rescatar.

»Me acuerdo de nuestra última despedida, de cómo mirabas a lo lejos el mar en Cascaes con esa expresión tuya herida y ausente, como si el corazón se te fuera a partir, pero a pesar de la belleza de tus párpados caídos, prefiero recordarte como a la niña curiosa y algo maligna que me presentó Luis Coelho en el Penedo da Saudade, me esfuerzo por revivir la luz que tienen tus ojos cuando se abren como ventanas por donde entra a raudales el sol y salen volando bandadas de pájaros. Escribe, lee, sal de paseo, habla con tus amigos, con Clara, y que cuando se oscurezcan tus ojos no sea por culpa de mi ausencia; que mi ausencia, Agustina, es un simple accidente, una pausa que más corta se hará cuanto menos importancia les des. Pero, sobre todo, ten confianza en mí, porque la necesito y porque no te defraudaré nunca, porque jamás he querido de verdad a nadie hasta que te he conocido a ti.

»Adiós, amor mío. Escríbeme pronto, por favor, y mándame la foto que decías. Las dos cosas me hacen falta: tu imagen y tu letra.

»Te besa muchas veces

D.»

Se quitó las gafas y las limpió con el pañuelo. Las letras le bailaban a través de las lágrimas, sobre todo aquella D. mayúscula que remataba la línea final como una luna menguante y que hubiera podido reconocer entre miles de *des* mayúsculas extendidas en abanico ante sus ojos y estampadas en distintos papeles por gentes de todos los países cuyo nombre empezara por aquella inicial. Casi le parecía poder distinguirla al tacto, era como una mano amiga o un rostro, la garantía de aquella existencia turbadora que había interferido la suya solitaria, prisionera entre pavos reales de un jardín ficticio. Era, sí, como la media luna que miraba desde su ventana antes de conocer el amor, indescifrable y lejana media luna; la buscaba siempre en cuanto rasgaba el sobre, sin leer todavía el texto de la carta y desprendía una luz de ensalmo sobre las tinieblas. «Ya está aquí la D. de hoy.» Y por las noches, mientras su hermana Clara estudiaba sentada a la mesa o le contaba cosas desde la otra cama, ella la escuchaba distraída, como presa de un embrujo, palpando debajo de la almohada el trozo de papel donde venía dibujada la media luna aquella reciente aún, nacida de unos dedos que a ningunos se parecían, quién sabe si garabateada a toda prisa con la premura de cancelar aquella carta y dedicarse a otros quehaceres de cuya urgencia ella estaba excluida. Y aunque también le hablara él con frecuencia de estos quehaceres y de los lugares y personas que frecuentaba, aunque se los describiera incluso minuciosamente, eran descripciones fantasmales que nada le decían, se saltaba aquella parte del texto con una mezcla de tedio e inquietud, como las noticias de guerra que venían en el periódico. Buscaba sólo su propio nombre, Agustina, lo leía transida y estupefacta como si no lo conociera y sólo aquella caligrafía le otorgara realidad, los otros nombres propios sobraban en una carta de amor, le parecían un desprecio, los temía e ignoraba como a rostros hostiles. Y sin embargo venían escritos junto al de ella y pertenecían a personas que él trataba y quería, era desesperante, quería a tanta gente y a su vez él despertaba tanto amor. «No me preguntas nunca por mis amigos —se quejaba él—, no te importan, cuando te hablo de uno lo confundes con otro. A mí me importan, los quiero y no me puedo pasar sin ellos; tienes que pensar que la vida es muy larga y que el mundo no lo componemos sólo tú y yo.» Pero ella se rebelaba contra esas prédicas, odiaba a sus amigos y soñaba con un mundo para ellos dos. Una vez se lo vino a insinuar en un poema titulado «Os teus olhos», cuyo texto ahora, al cabo de los años, apenas recordaba, y que seguramente Diego habría perdido, pero, por aquí, entre los papeles viejos, tenía que andar la contestación que le mandó.

Apuró un vaso de ginebra que tenía en el suelo y volvió a ponerse las gafas. Estaba sentada en una *chaise-longue* junto a la ventana y tenía esparcidos por el suelo y en dos mesitas cercanas una serie de sobres y carpetas. Alcanzó una de tela roja con un rótulo pegado fuera donde ponía: «Cartas primeiras», guardó la que acababa de leer y se puso a buscar la otra. La encontró en seguida. Estaba escrita en papel fino, ligeramente azulado, se sabía casi de memoria aquel discurso inteligente, sereno e implacable que deslumbraba y helaba al mismo tiempo.

«...No, Agustina, te equivocas. Tu poema es muy bonito, pero esa inocente armonía destila veneno y engaño y creo que te lo debo decir. La poesía, tal como tú la concibes, supone un peligro, porque convierte en dogma cualquier estado de ánimo pasajero. No te estoy diciendo que dejes de convertir en literatura tus emociones —que además lo haces muy bien—, sino que no les des salvoconducto de eternidad. La literatura puede ser eterna como tal, pero no los sentimientos que la hicieron nacer. Nadie va a desprestigiar a Petrarca porque a la emoción de un soneto sucediera posteriormente otra, cosa que tuvo que ocurrir sin más remedio. Pero para ti, Agustina, los cambios son sinónimo de traición y eso te impide ver el fluir real de la vida. Dices que no entiendo la grandeza de tu amor y que por eso lo considero excesivo; no: lo considero excesivo por el miedo que tengo a que algún día puedan dañarte sus excesos. Tómame como soy, yo no puedo tenerte a ti el mismo amor que tú me tienes, te tengo otro, el mío, y tampoco te pido a ti que cambies, te pido que no sufras. Tu desconfianza es la única cosa que me estorba y aleja de ti. Todo lo demás me atrae y me acerca: tu dulzura, tus ojos, tu pelo, tu cuerpo, tu palabra, me gustas toda tú tal como eres, más que nadie. Tengo ahora delante la foto que me mandas con el poema. ¡Cómo miran tus ojos, con qué fuego! Quisiera verlos siempre, pero no para "hundirme en sus aguas turbulentas y ahogar en ellas mi voluntad y mi memoria" como deseas tú, sino para que le sirvan a los míos de espejo y referencia, para crear un fluido limpio de mirada que nunca se enturbie con mentiras. Déjame decirte siempre la verdad, Agustina, presentar ante tus ojos la imagen del que soy y del que vaya siendo a lo largo del tiempo, sólo eso quiero pedirte, sólo eso salvará del deterioro unas relaciones que...»

Habían llamado a la puerta con los nudillos, pero no lo oyó. Jaime empuñó el picaporte y abrió despacito, casi sin ruido. Siempre se le apretaba el corazón cuando volvía a casa de su madre, siempre aquel mismo miedo a que le hubiera pasado algo. La vio de espaldas, a la luz de la lámpara verde, enfrascada en la lectura de sus sempiternos papeles, miró la botella de ginebra mediada, el cenicero lleno de colillas, el tocadiscos abierto, los objetos y cuadros conocidos desde la infancia, la cama revuelta con discos y libros encima, respiró aquel olor a colonia de limón que exhalaba la estancia y se quedó unos instantes en el quicio de la puerta sin determinarse a avanzar, experimentando una sensación ya otras veces probada, mezcla de consuelo, resignación y temor.

—Buenas noches, mamá —articuló por fin con la voz más natural que pudo.

Ella tuvo un movimiento de sobresalto que se tradujo en los gestos apresurados y sucesivos de quitarse las gafas, alisarse el pelo y tratar de ocultar la carta que estaba leyendo.

—¡Finalmente! —dijo luego cuando volvió la cara y le reconoció.

Se echó hacia atrás en la *chaise-longue,* cerró los ojos y por debajo de las largas pestañas abatidas fluyeron las lágrimas formando surcos oscurecidos de rimmel sobre el maquillaje que se había aplicado esmeradamente aquella tarde, de la frente al escote, y que ahora se revelaba como una careta sobre las arrugas.

—¡Finalmente! —repetía llorando—, ¡finalmente!

Jaime vio el largo brazo caído, los dedos rematados por uñas pulidas que sostenían la carta, aquellos pechos un tiempo desafiantes agitados por los sollozos y se acercó lentamente. Ya sabía que no iba a poder escapar tan pronto de aquel recinto, pero se alegraba de haber venido, y también de que no hubiera subido Joaquín. Se arrodilló junto a la *chaise-longue,* le quitó de entre los dedos la carta arrugada, la dobló con cuidado y la depositó sobre la mesa. Luego sacó un pañuelo limpio del bolsillo y se puso a secarle las lágrimas que arrastraban consigo el maquillaje reblandecido y dejaban una marca color ocre en la batista blanca.

—Vamos, mamá, no llores más, ya basta —le dijo al cabo de un rato con voz firme, pero exenta de severidad—. Ya estoy aquí contigo. Tranquilízate.

Y se puso a acariciarle las manos y el pelo. Procuraba que todos sus movimientos fueran armoniosos y sedantes. Sentía, de pronto, mucha serenidad. Agustina seguía llorando sin abrir los ojos, abandonada a los cuidados y caricias de su hijo, pero poco a poco las arrugas de la frente y de las comisuras de la boca se fueron relajando y su rostro adquirió una expresión casi voluptuosa.

—Perdóname lo de la otra noche —dijo Jaime—, es que a veces me pones muy nervioso.

—Creí que no ibas a volver nunca —musitó ella con los ojos cerrados todavía.

—¡Qué cosas tienes, mamá! ¿Cómo no iba a volver? Pero lo que me desespera es encontrarte igual, siempre rodeada de estos malditos papeles.

Agustina se incorporó y se puso a palparse la falda.

—¿Y la carta? —preguntó, mirando ahora hacia el suelo—. Tenía una carta en la mano cuando has entrado. Se me debe haber caído.

—No, te la he cogido yo. Está ahí, mira. ¿La ves?

Agustina asintió y volvió a cerrar los ojos.

—¡Cuánto me duele la cabeza! —dijo—. Toma, ponme las gafas también ahí.

— ¡Qué empeño de hurgar siempre en lo mismo! —dijo Jaime al tiempo que cogía las gafas de su madre y las dejaba también en la mesita—. Acuérdate de aquellos versos que tanto te gustaban:

*No busques, alma,*
*en el montón de ayer*
*más perlas en la escoria.*

¿Te acuerdas?

—Sí —dijo ella—, pero, ¿por qué no dices también el final? Recítalo entero.

—No me acuerdo del final —dijo Jaime, cortado.

—Sí te acuerdas.

—Pero, además, ¿qué más da el final? Lo importante —añadió mirando los papeles esparcidos— es que eso es ya un montón de escoria.

Agustina abrió los ojos y miró al vacío. Los tenía cercados de arruguitas y bolsas, ya no parecían ventanas iluminadas de donde fuera a salir volando pájaro alguno. Recitó lentamente:

*No busques, alma,*
*en el montón de ayer*
*más perlas en la escoria.*
*La primavera del futuro*
*es toda de hojas nuevas para ti.*

Tenía una dicción muy elegante que el acento portugués dulcificaba prestándole, al propio tiempo, un énfasis especial. Se inclinó para servirse otro vaso de ginebra y, después de beber un largo sorbo, volvió a reclinarse y se tapó los ojos con el brazo.

—No debías beber —dijo Jaime.
Ella se encogió de hombros sin contestar.
—He vuelto a discutir con tu padre —dijo luego.
—Ya lo sé; si lo que no entiendo es qué necesidad tienes de verlo; acabáis siempre igual.
—¿Que lo sabes? ¿Quién te lo ha dicho? ¿Él?
Se había quitado el brazo de los ojos y miraba a su hijo con expresión alterada.
—Sí, claro, él.
—¿Cuándo lo has visto?
—Ahora mismo, hace un rato. Estaba yo en su casa con un amigo, habíamos ido a ver a Isabel.
—¿Y qué te ha dicho? ¿Cómo te lo ha dicho?
—Ay, mamá, no sé, me lo ha dicho normalmente. Que te habías bajado del coche de repente, pegando un portazo, y eso.
En los ojos de Agustina brilló una lucecita de esperanza.
—¿Te ha mandado él venir? ¿Te ha dado algún recado para mí?
Jaime dudó imperceptiblemente antes de decidirse a contestar:
—No, no me ha mandado él. Yo no necesito que me mande nadie para venir a verte.
Los párpados de Agustina se cerraron con cansancio y volvió a apoyar la cabeza en el respaldo de la *chaise-longue.*
—Sí, pero estará preocupado —dijo lentamente—. Lo conozco.
—¡Y qué diablos te importa si está preocupado o lo deja de estar! —estalló Jaime con irritación—. Me hartas, mamá, perdona que te lo diga, por eso mismo me enfadé el otro día contigo. ¡Tú vive tu vida y déjalo en paz!
—Se habrá quedado mal, preocupado —seguía diciendo

ella, pesarosa—, a veces no me puedo controlar. No sé si llamarle, ¿estará en casa ahora?

—No sé, pero no te consiento que le llames a ninguna parte, ¿entendido? —dijo Jaime con acento autoritario—. ¿No comprendes que no hay derecho a vivir siempre pendiente de un ser tan egoísta como papá?

—No es egoísta. Es que sufre —pronunció ella en un tono casi solemne, donde se adivinaba al mismo tiempo el orgullo y la compasión—. Sufre mucho tu padre desde que me dejó, puedes creerlo.

—Pues no lo creo, mamá —dijo Jaime—. Y, además, mira, ¿sabes lo que te digo?, que aunque sufra, me da igual, exactamente igual. Con su pan se lo coma.

A medida que Jaime iba perdiendo el aplomo, parecía recobrarlo ella.

—No digas eso —corrigió con dulzura, con una reminiscencia de aquel tono mimoso y tenue que empleaba para amonestarle cuando era niño y que a Jaime no podía resultarle indiferente—. No me gusta que hables así de tu padre, a ti te quiere.

Jaime se levantó y se puso a pasear por la habitación. Se notaba que empezaba a perder los estribos.

—¡No sé si me quiere, ni me importa! ¡Pero a ti, no!

Agustina bebió otro trago de ginebra y se quedó mirando hacia la ventana con una mirada enigmática y altiva.

—A mí también —dijo con calma—. No ha vuelto a ser feliz nunca sin mí, por mucho que le cueste reconocerlo. Me necesita. Y, además, ¿sabes?, tiene celos.

Jaime suspendió sus paseos por el cuarto.

—¿Celos de quién?

—De Víctor —dijo ella—. Los tiene hace mucho tiempo, desde que me hizo el retrato. Es una historia antigua.

Miraba ahora la pared de enfrente, donde aparecía colgado un lienzo de gran tamaño representándola a ella de medio cuerpo, tal como era diez años atrás. En aquel tiempo, a Jaime, que tenía doce, le encantaba venir por las tardes a esta habitación a ver cómo pintaba Víctor Poncela a su madre. Posaba con un traje malva y una rosa en la mano, junto a la ventana, mirando a lo lejos. «Así es como estás mejor, cuando miras hacia Portugal», le decía Víctor. Y ella sonreía. Las sesiones duraron casi dos meses. Tomaban el té, ponían discos, charlaban mucho y a veces Víctor no trabajaba siquiera. Un día ella había estado cantando fados con mucho sentimiento. Jaime, ahora, mientras miraba algo desconcertado el retrato, recordaba la letra de una de aquellas canciones, la que más le emocionaba:

*Meu amor não me preguntes o porque*
*da paixão que me tortura...*

Agustina, con su traje malva y una rosa en la mano, seguía mirando a Portugal desde la pared con una expresión indescifrable y ardiente, los cabellos rubios cayéndole en cascada sobre los hombros.

Jaime volvió a arrodillarse junto a la *chaise-longue* y cogió las manos de su madre.

—¿Sabes —dijo— que cuando yo era pequeño también tenía celos de Víctor? Me parecía que estaba enamorado de ti.

—Sí —confesó Agustina—. Y te voy a decir una cosa que te extrañará: lo está todavía.

—¿Por qué me va a extrañar? Me parece completamente natural. Lo único que no entiendo es que no le quieras tú también, un hombre tan bueno y tan encantador.

—Sí le quiero —dijo Agustina—, es mi mejor amigo, el único que tengo. Pero de eso a...

—¿A qué? —cortó Jaime con viveza—. Eres joven to-

davía, y puedes hacer lo que te dé la gana. ¿A quién le tienes que dar cuentas de tu vida, dime, a quién? A papá no será.
Hablaba con vehemencia, espiándole la expresión. Ella enrojeció ligeramente, y miró para otro lado.
—Não fales disso —dijo en portugués, mientras volvía a coger el vaso de ginebra.
—Es absurdo que le vayas a ver con papá, lo encuentro ridículo. Tendrías que ir tú sola.
—Ya he ido este verano algunas veces. Nos bañamos, montamos a caballo. Y a papá se lo he dicho, no te creas que no, se lo he dicho cuando veníamos para acá en el coche.
—¡Pero si no le tienes que decir nada! ¿Qué le importa a papá de lo que haces o dejas de hacer? No se le habría ocurrido hacerte una escena de celos porque sería el colmo.
Agustina tenía ahora una expresión alterada.
—No, porque es demasiado orgulloso. Pero sí le importa, le importa más de lo que dice. Porque en el fondo me sigue queriendo, con esa mujer no es feliz. Víctor dice que acabará mal con ella, que cada día se llevan peor. ¿A ti qué te parece?
Jaime apartó la vista con un gesto de fastidio y desaliento. No podía soportar estos interrogatorios reincidentes en que siempre venía a parar cualquier conversación que emprendiera con su madre.
—¿Y yo qué sé, si apenas los veo? Con Gloria no he cruzado la palabra desde hace meses.
—Pero algo te habrá dicho Isabel.
—Pues no, porque sabe que es un asunto que no me interesa nada. Por mí como si se tiran los trastos a la cabeza. Pregúntaselo a ella.
Agustina bajó la cabeza.
—Con Isabel no puedo hablar de estas cosas, ya lo sa-

bes, no tengo confianza —musitó con una voz repentinamente deprimida—. Me lleva a alguna exposición o a algún concierto, me habla de sus estudios, me trae libros, pero nunca me da pie para que le pregunte nada ni ella me lo pregunta. Me trata como a una amiga casual.

—Hace bien —dijo Jaime—. Yo también debía hacer lo mismo.

Se levantó a correr las cortinas de terciopelo verde. La lluvia y el viento batían contra los cristales de la ventana. Pensó que Joaquín ya estaría hace rato con los otros amigos en aquel local nuevo donde se escuchaba jazz y se tomaba té moruno. Se los imaginó envueltos en espirales de humo y en intrascendentes cuchicheos, pasándose el pitillo de *haschiss,* desplazándose al azar de una mesa a otra, arropándose en una intimidad inerte y placentera derivada del mero contacto, de la falta de proyectos, de aquel perenne homenaje al presente, *let it be, let it be, let it be...*

—Con esa mujer es imposible que le vaya bien, nunca ha pasado de ser una vulgar aventurera —estaba diciendo su madre cuando se volvió.

—Tampoco es eso, mamá, no seas antigua —rectificó él con un suspiro.

Hablaba ya sin convicción, resignado a adentrarse en una especie de pantano irreversible. Notó que ella se estremecía, cogió un chal negro que había a los pies de la *chaise-longue* y se lo puso por los hombros.

—Soy antigua, sí —dijo Agustina, mientras se dejaba abrigar con una sonrisa serena—, pero a tu padre le gusté precisamente por eso. Cuando vino a Coimbra a aquel curso de verano estaba harto de tener amores fáciles y acostumbrado a ganar siempre a la primera. Era tan alegre, tan guapo, nada le proponía problemas. Portugal fue para él una experiencia diferente, me lo ha dicho tantas veces, su primer encuentro con lo misterioso. Ya la misma manera que tuvo de enamorarse de mí antes de conocerme, sólo porque Luis Coelho le dijo que había una chica que parecía un cuadro de Botticelli y que le gustaba andar siempre sola, no me digas que no es una cosa romántica. Ya ves que Luis era un simple conocido suyo, un chico vulgar, pues nada, desde aquel día ya le estaba buscando siempre para sonsacarle sobre la chica rubia solitaria que no hacía caso de los hombres. Y tardó en conocerme lo menos quince días, pero dice que me llamaba por las noches a solas y me escribía cartas que él mismo se sorprendía de no atreverse a mandar, me las enseñó luego, son cosas que sólo pueden pasar en Portugal, dice que por una parte se reía pero que por otra le fascinaba. Y un día estaba yo leyendo en el parque y él se sentó enfrente y me miraba tanto y con tanta intensidad que me tuve que levantar y marcharme, pero notaba que venía detrás y hasta la mañana en que me lo presentó Luis ya no pude desear otra cosa más que volverlo a ver, saber su nombre y oír su voz, porque cómo era tu padre, Jaime, cómo era. Y le contó a Luis que me había visto y que le había mirado, que estaba seguro de que la chica aquella tenía que ser una que había visto en el parque. Y le dijo Luis: «Si te ha mirado también, no es ella. A Agustina no le interesan los hombres, es muy fría». Tenía yo esa fama, ya ves, porque hasta los veintiséis años no me había llegado el momento de sentir aquello tan fuerte y tan terrible. Y fíjate, la mañana que iba a hablar con él por primera vez ya me desperté con el presentimiento de que me iba a pasar algo grande y me puse a cantar porque todo me parecía único y maravilloso, me vestí con un traje rosa de flores menuditas, parece que lo estoy viendo, qué seguridad tenía de que lo iba a volver a ver, salí al azar, me daba igual una ruta que otra. Por fin me senté en un banco do Penedo da Saudade, era temprano pero ya hacía bastante calor, me puse a leer un libro, pero no me enteraba de nada, porque sabía que iba a venir, porque le estaba esperando...

Jaime se sentó en una butaca enfrente de la *chaise-longue,* cruzó las piernas y se sirvió una ginebra, dispuesto a dejar venir una vez más la historia del encuentro de sus padres. Isabel decía que existen seres de narración múltiple y otros de narración única y éstos son los que se pasan la vida pintando el mismo cuadro, escribiendo el mismo libro, haciendo el mismo viaje o contando la misma historia desde que nacen hasta que se mueren. Y decía que su madre era el ejemplo más típico de narración única que se podía uno encontrar; era una frase que había circulado mucho entre los amigos de Isabel, porque ella conseguía hablar de los problemas familiares en un tono lúcido y desgarrado que nunca caía en la confidencia, con una distancia especial que a Jaime en parte le indignaba y en parte le producía admiración. «Las cosas privadas deben ser tratadas públicamente», le dijo una vez que él había protestado de esa actitud suya frente a las historias que otros le habían legado confidencialmente. Y se enredaron en una larga discusión sobre lo objetivo y lo subjetivo, de la que ella al cabo salió triunfante porque tenía una dialéctica mucho más rigurosa. Pero sí, no cabía duda, Agustina Sousa era un espécimen puro de narración única. Esta historia de su primer encuentro con el becario español que preparaba su tesis sobre novela portuguesa la contaba siempre como si acabara de pasarle ayer, como si la narrara por vez primera, y ella misma parecía sorprenderse de su frescura y novedad. Pocas veces encontraba ya quien estuviera dispuesto a escuchársela, pero el ejercicio de aquella narración la resucitaba, era, sin duda alguna, su mejor terapéutica. Jaime comprendió que todo lo que había hablado hasta entonces había constituido un mero preámbulo, vio sus ojos húmedos y soñadores que al fin volvían a mirar como los del retrato y, deponiendo toda reserva, se arrellanó en la butaca como esperando a que se alzara el telón de un teatro. Se olvidó de la hora que era, de Víctor Poncela, del local donde se bebía té moruno y de las figuras inconsistentes que flotaban en él como dentro de una pecera roja, se olvidó incluso de esta misma habitación. Iba a entregarse a la narración del encuentro de sus padres en cuerpo y alma, como si jamás la hubiera oído. Y, embarcado en los quiebros de esta voz nostálgica y apasionada que se enriquecía a cada variación argumental con matices inéditos, echó a andar del brazo de aquel borroso Luis Coelho en una mañana de finales de junio, miércoles por más señas, hacia O Penedo da Saudade, donde estaba esperándole, con un libro en la mano, Agustina Sousa, la que posteriormente había de ser su madre.

## Cinco

«Me voy al estreno del *Rex* con Pablo Valladares. Las nueve y media. Hasta luego», había dejado escrito Gloria en la nota que estaba encima de la mesilla. Diego miró su ropa tirada en desorden por el suelo y encima de la cama y se quedó parado unos instantes en mitad del dormitorio con una sensación de hastío y pesadumbre que le impedía formular ningún propósito, indiferente a las posibilidades que pudiera ofrecerle la noche del sábado y que se cruzaban por su imaginación en tropel borroso y anodino. Eran las diez y media. Pasó lista mentalmente a las personas de quien podía echar mano y le pareció inútil llamarlas porque no estarían en casa. Ya nadie se queda en casa un sábado por la tarde, lo había estado comentando con Víctor un rato en que Agustina se fue a dar un paseo por la finca, incapaz ya tal vez de aguantar, como luego se vio, la tensión a que ella misma se estaba sometiendo. Le había estado diciendo que Madrid le hartaba, que las casas de la ciudad se han convertido en templos lujosos y vacíos donde no se oficia ya más ceremonia que la de cobijar esporádicamente a gente de pasada que se bebe un whisky igual al que ha dejado en sus botellas, oye los mismos discos que acaba de comprar, se hunde en asientos de molicie idéntica y pasa la mirada distraída por cuadros similares cuya belleza alaba y por cuyo precio indefectiblemente se interesa, símbolos de riqueza, parches de consumo para paliar la pobreza de unas relaciones por frotación, nunca por ósmosis: Fulano que a su vez conoce a Mengano y que luego te enteras de que se acuesta con una señora que habías conocido en casa de Perengano, rostros circulantes, signos exteriores de una depresión disimulada a ratos y otros exhibida, gentes que se tutean y se besan, que recorren con ojos ávidos y huidizos como linternas los rincones del nuevo local a la caza de un rostro conocido, fotografías sin texto. Y el dinero fluyendo a la par del hastío en ríos paralelos por la noche del sábado, serpenteando, pasando de los taxis a los *pubs,* a los mesones de carretera, a las cerilleras que se demoran contra la madrugada en la Gran Vía, a las *boîtes,* a las gasolineras, a los apartamentos que se alquilan por noches, una fiebre mezquina y consabida de sudor sin delirio.

Había estado brillante hablando para Víctor de estas cosas y revivía ahora con delectación su fugaz elocuencia. Había idealizado el recuerdo de las tabernas que frecuentaban en sus años de estudiantes, cuando el vino costaba muy barato y ellos tenían poco dinero, casa Cipri, casa Pedro, el bar del circo, las tabernas de estación, locales que obligaban a suplir la modestia del decorado con un lujo verbal que los calentase. Ahora —le había dicho, aún consciente de que al decirlo derivaba ligeramente hacia el tópico— el lujo va por fuera y la miseria por dentro, ahora se inventan locales de decoración llamativa y nombre enrevesado con cierto tinte exótico, los locales han llegado a hacerse atributo de la persona que pronuncia y hace circular esos nombres nuevos con voz experta, locales para arrebujar y exhibir juntos como en una vitrina a seres que emiten continuas noticias pero que ya no son capaces de contarse ninguna historia.

Sí, se le había calentado la boca hablando con Víctor, sobre todo porque mediante aquella perorata pronunciada al aire libre mientras empezaba a caer la tarde, se sentía lavado en alguna manera de tantas servidumbres y claudicaciones como la vida urbana le exigía a diario, y experimentaba una especie de embriaguez que le hacía sentirse solidario con aquellos escritores de todos los tiempos que ensalzaron las delicias de la vida retirada, solidario también con el propio amigo que escuchaba sus palabras en un silencio aquiescente, veteado sin embargo de cierta incredulidad. Poco a poco aquella mirada seria pero irónica de Víctor acabó por incomodarle y su discurso fue perdiendo consistencia hasta que cayó como un globo pinchado al que ya no sabía qué parche aplicar.

—Sí —dijo Víctor—, lo ves con una lucidez enorme. Pero me temo que sigues saliendo todos los sábados por la noche y no te puedes pasar sin esa gente a la que tanto criticas.

—No creas, no salgo tanto ahora —había protestado él, desviando la vista—. Es más bien Gloria la que me arrastra. Aunque sí, debería encerrarme más.

—¿Qué tal la novela famosa?

—Parada. Sólo me salen comienzos, tengo cientos de comienzos y no sé cuál elegir.

Víctor se echó a reír.

—Podías añadirle esta noche otro, escribir eso que me has dicho de los sábados, si le metes nombres propios, sería un buen comienzo de novela.

Diego se había quedado pensativo.

—Sí, las posibilidades son infinitas —dijo—, lo que pasa, también, es que no tengo tiempo. El trabajo de la editorial me absorbe mucho.

—Esos son pretextos. El tiempo se saca, hombre, lo que hace falta de verdad son ganas de ponerse. Por ejemplo, mañana no tienes que madrugar, ¿no?, pues esta noche quédate escribiendo en vez de salir y el sábado que viene igual.

—Sí, eso tendría que hacer.

—Pues hazlo. Y sobre todo, no trabajes en decúbito supino.

Había vuelto Agustina de dar su paseo y él, temiendo que la conversación continuara delante de ella por aquellos derroteros del trabajo intelectual, tema que en tiempos era tan candente para ambos, subió al estudio de Víctor con el pretexto de echarle un vistazo a sus últimos dibujos. Desde luego Agustina siempre había procurado estimularle a escribir más que Gloria, pero detrás de sus palabras de ánimo se adivinaba a veces una maniobra para retenerlo en casa que hacía contraproducente su afán, acentuando, por rechazo, la indolencia y la dispersión ya habituales en Diego.

Salió al pasillo sin un propósito definido y la casa le pareció desproporcionada, desprovista de calor y misterio. «Una casa —había opinado Agustina el poco tiempo que se avino a vivir en ella— donde nunca podría ocurrir un crimen.» Apareció Pura en la puerta de la cocina y aquella presencia interrumpió sus reflexiones. ¿Para qué había salido al pasillo? De cenar no tenía ganas.

—Ha dicho Isabel que me llamaba usted.

—¿Yo? Ah, sí, quería preguntarle si vino por fin el fontanero a arreglar la ducha.

—No, ya no vendrá hasta el lunes. Pero los grifos de la bañera sí funcionan. Dése un baño.

—Sí, bueno, no se preocupe. Le tenía que decir algo más pero no me acuerdo.

Pura esperó unos instantes inmóvil. Parecían dos figuras de cera paradas allí en el pasillo.

—No me acuerdo, es lo mismo.

—¿Venía usted a cenar?

No sabía qué contestarle, le era indiferente todo. Aquella escena podía parecer, igual que la de por la mañana, arrancada de una comedia de Benavente.

—¿Ha cenado Isabel? —preguntó, como si saber aquello pudiera influir en sus decisiones.

—Me parece que no, pero pregúnteselo a ella. Está en su cuarto. Yo sólo la he visto merendar.
—Voy a ver.
—¿Espero levantada por si acaso?
—No, Pura, no hace falta. Se puede acostar o salir o lo que quiera. Gracias.
—En el horno tienen ustedes el pescado y en la nevera sobras de esta mañana.
—De acuerdo, que descanse.
Fue al cuarto de Isabel. Estaba tumbada en el sofá leyendo un libro.
—¿Quieres cenar?
—No, he quedado con un amigo que me va a llamar ahora. ¿No sales tú?
—Me parece que no, quería ver si escribo un poco.
—Ya. Pasa si quieres, no te quedes ahí.
Cerró la puerta y avanzó. Isabel tenía muy agradable su cuarto. Era el único refugio caliente de la casa. Siempre que la encontraba sola aquí tenía la impresión de que venía a pedirle algo que nadie más que ella en el mundo le podía dar, pero no sabía qué era. Se acercó a una mesa llena de periódicos, sobre todo extranjeros, y de libros.
—Tengo dos libros tuyos desde hace no sé cuánto tiempo —dijo.
—¿Ah, sí? No me acordaba. No será el Veblen, alguno.
—Sí, precisamente uno es el Veblen.
—Menos mal, creí que lo había perdido. ¿Te ha gustado?
—No me ha dado tiempo a leerlo todavía —confesó Diego—, pero si lo necesitas, en mi cuarto está.
—No, lo quería prestar, pero léelo tú primero, estoy segura de que te va a gustar mucho.
Diego se quedó callado y siguió mirando con afectado interés los títulos de aquellos libros que se apilaban so-

bre la mesa de Isabel. En las últimas conversaciones con ella se le había evidenciado dolorosamente el contraste de sus opiniones, aceradas y firmes, con las de él, mucho menos originales y dictadas ya casi siempre por un criterio meramente editorial. A duras penas conseguía hacerle creíble un entusiasmo por temas que progresivamente le iban dejando de interesar, y más que a sorprenderla con réplicas insólitas se aplicaba a conservar la sangre fría y no descomponer el gesto, a que no le fallasen los recursos de un repertorio deslucido. Eran, en el fondo, como combates de esgrima al cabo de los cuales la mera comprobación de no haber olvidado completamente un viejo oficio, más que satisfacerle, le mortificaba.

Llamaron al teléfono y se sintió aliviado porque la pausa empezaba a hacerse demasiado larga. Se sentó en el sofá y se quedó esperando. El cuarto daba a una terracita iluminada por el bullicioso parpadeo de los anuncios luminosos. Volvían a rondarle deseos de escapar. Isabel era muy breve en sus conversaciones telefónicas y en seguida terminó. Había hablado todo el rato en voz muy baja, pero la última frase, «hasta ahora», había sonado muy clara.

—¿Te vas? —le preguntó con una ligera ansiedad, en cuanto la vio colgar el aparato.

—Sí, dentro de un momento. ¿Qué pasa? Te veo como cansado. Date una vuelta, ¿no?

—No me apetece. Me aburre la gente. Además, ya te digo, quería ver si esta noche escribo un poco.

Isabel, ya con el chaquetón al brazo, se demoraba aún junto a su padre, tratando de no hacer demasiado ostensible que empezaba a tener prisa.

—La novela ésa debe ser el parto de los montes —dijo.

—No, hija —confesó él con una súbita sinceridad—. Lo que pasa es que nunca me meto con ella en serio. Llevo

años poniéndome pretextos a mí mismo. Eso es lo que pasa.
—Pues nada, a ver si esta noche le das un avance. Puedes venirte a trabajar aquí si te gusta esto más que tu despacho. ¿No dices que tu despacho te deprime?
Diego comparó aquel refugio de su hija con la frialdad de la estancia contigua que, a lo largo de los reinados de Agustina y Gloria, había ido plagándose de detalles refinados y convirtiéndose en una especie de templo de adorno en el que raramente ponía ya los pies, y este desorden le pareció mucho más hospitalario.
—Pues sí, puede que me venga. ¿De verdad que no te importaría?
—¿No te estoy diciendo que no? Verás, te recojo un poco la mesa.
Dejó el chaquetón sobre el brazo de una butaca y se puso a apartar libros y periódicos y a colocar algunos discos dispersos dentro de sus respectivas fundas. Sus gestos, aunque expertos y rápidos, no eran nerviosos. Diego la miraba con amor: le confortaba aquella diligencia de Isabel, tan contraria, sin embargo, al ordenancismo. Desde niña había sido así, el polo opuesto del hermano.
—Oye, Isabel, te quería preguntar, ¿cómo has encontrado a Jaime?
Ella ya había terminado. Estaba dejando ahora una pila de periódicos en el suelo.
—¿A Jaime? Bien, como siempre. ¿Por qué?
—No sé, como nunca habla conmigo ni sé lo que hace. Evita hasta mirarme. Pero de todas maneras lo veo algo nervioso. A mí esos amigos que tiene no me gustan nada, la verdad.
—Pero bueno, déjalo, con que le gusten a él. Además, Joaquín es de los mejores.
—Yo lo encuentro ambiguo.

—Bueno, ambiguo no. Es marica, papá, se le nota a la legua. Pero eso ahora es fruta del tiempo y Jaime tiene también un ramalazo. Son cosas de la edad, que luego igual se pasan.
—¿Crees que estudia?
—Pues no sé. Pero no te pongas paternal, anda, guapo, que no te va. ¿Te quedas?
—No, voy a darme un baño primero.
Isabel se puso el chaquetón, salieron juntos y se despidieron en el pasillo.
—Gracias por prestarme el cuarto, hija.
—Nada, hombre. Lo que hace falta es que te cunda.
—Ojalá, ya veremos.
—Nada de ya veremos, depende de ti. Siempre puede hacer uno lo que quiere.
—Sí, sobre todo a tu edad.
—¡Y a la tuya! —exclamó Isabel con viveza—. No empieces a escudarte en la edad, que así es como se envejece. La juventud es un estado de ánimo.
Diego la miró con agradecimiento y acercó la cara para darle un beso.
—Gracias, hija.
Isabel le retuvo unos instantes, agarrándole por el cogote.
—No eres viejo, papá, no lo eres, no lo eres, no dejes que te vuelvan viejo.
Diego se soltó con un gesto evasivo. Sonreía.
—Lo tendré en cuenta. Que te diviertas.
Echó a andar por el pasillo bastante alentado. Cuarenta y cinco años no es mala edad para sacar una primera novela, puede tener incluso mayor garantía de madurez. El mercado editorial estaba plagado de obras miméticas y sin contenido elaboradas a toda prisa. Era cuestión de ponerse, de olvidarse por completo de tantas baldías solicitaciones, podía trabajar algunas mañanas en su des-

pacho de la editorial y esquivar muchos de los compromisos que él mismo inventaba, pretextos a los que se aferraba su inercia. Había llegado al baño y abrió los grifos. Tenía que vencer la pereza de ordenar el material disperso en papeles desde hacía años, imbuirse de la importancia de su testimonio, pensar que lo que él dijera, mal o bien, nadie lo iba a decir como él. Hoy lo iba a revisar todo. Se sentía progresivamente esperanzado y con la mente ágil. Podía ser labor de pocos meses tener la novela acabada quizá para Navidad y presentarla a un premio. Pero no, mejor no empezar a ponerse plazos, los plazos son arma de dos filos.

El cuarto de baño era una estancia muy grande con azulejos negros hasta el techo y la pared de la izquierda toda de espejo. Gloria la había ampliado cuando vino a vivir aquí, robándole un trozo al cuarto donde antes dormía Jaime. Se desnudó ante el espejo pensando con una mezcla de desazón y envidia en la belleza de Jaime, el vivo retrato del Diego Alvar que llegó a Coimbra pero con una sombra en la expresión de la trágica melancolía de Agustina. No quería pensar en Jaime, le perturbaba.

Descendió a la bañera ovalada, excavada a un nivel más bajo que el suelo, y el agua caliente le produjo un placer relajante que aventó aquel enjambre de propósitos, diluidos repentinamente en meras sensaciones e imágenes placenteras. Se veía fotografiado con su pipa en las páginas de los periódicos, acosado de cartas y llamadas que al fin no trataban de negocios ni de libros que han escrito los demás, con la expresión sensitiva y luminosa de sus mejores días, charlando con amigos de Isabel que tenían interés por conocerle, amigas sobre todo. Pero de pronto pensó también que Isabel le juzgaría vanidoso y ridículo si supiera lo que estaba imaginando y Víctor más todavía. Porque Víctor le conocía mejor que nadie, le bastaba con mirarle para penetrar sus trampas más recónditas. Le llamaba Peter Pan, le decía que no le gustaban las mujeres, sino gustar a las mujeres. Y, por una rápida asociación de ideas, que le desviaba ya del tema de la novela, se confesó que aquella misma tarde se había sentido halagado al descubrir un fulgor de interés en las miradas que le había dirigido al llegar la chica aquella de Matalpino, a pesar de que era casi una niña. Se acordó complacido de la expresión entre atemorizada y voluptuosa que tenía esperándole apoyada contra la pared, poco antes de cogerse de su brazo, se acordó de su voz tímida, de su pelo largo y espeso que olía sólo a pelo de mujer, del ritmo de su paso cuando trataba de acoplarse al suyo, de las miradas celosas que le había dirigido Agustina cuando la vio aparecer. Y, asaltado por un imprevisto y fugaz deseo, se la imaginó acostada ahora mismo con el pelo negro contra la almohada, sin duda despierta, turbada por algún recuerdo o congoja que a él le sería tan fácil aliviar con palabras y caricias inéditas para ella.

La bañera estaba rodeada de un ancho margen de azulejo negro donde campeaban en profusión multicolor todos los tubos, esponjas, tarros, jabones y cepillos que Gloria continuamente se veía en la precisión de renovar. Al salir de la bañera se fijó en que muchos estaban destapados y empujó con el pie un diminuto relojito de brillantes que salió lanzado de entre los frascos para ir a aterrizar sobre el albornoz de toalla rojo que yacía mojado y abandonado por el suelo. Había estado a punto de aplastarlo con el pie y lo recogió para ver si andaba, luego lo colocó sobre la repisa.

Pero ya, mientras se secaba y se vestía, no pudo volver a pensar más que en Gloria, en que se había bañado a toda prisa, mirando el reloj que luego se olvidó de coger, preocupada de marcharse antes de que él volviera. Gloria le estaba engañando con Pablo Valladares. A ella le resultaría intolerable esta expresión, como todas las que aludían a sentimientos pasados de moda; tal vez no era propio hablar de engaño, ya que lo convenido era no preguntarse nada acerca de sus mutuas vidas, es posible que si rompiera el pacto, como había hecho otras veces, y le preguntara algo, ella le dijera la verdad o una verdad a medias, entornando los ojos, con aquella voz afectada y cansina de actriz de tercera y la sonrisa banal pero provocativa que seguía encadilándole siempre. Sí, seguramente se lo confesaría, cayendo sin querer, por huir del melodrama, en su vacua representación de mujer emancipada, aludiría con frases de cuño barato a la liberación sexual y a los tabúes, declaración de principios obligatoria para una chica de buen cuerpo que quiere hacer carrera en el cine y protestaría, desde luego, de la expresión «engaño». Pero a él, ahora, mientras pensaba estas cosas y el espejo le devolvía un rostro cansado y hosco, no se le ocurría otra formulación más adecuada para describir la situación que estaba padeciendo ni tenía ganas de buscarla. Gloria le estaba engañando —o no—, pero con Pablo Valladares.

Y ya desde que salió del baño hasta que entró en el despacho a buscar maquinalmente aquellas carpetas que se había prometido revisar, el escozor de esta certeza se le fue imponiendo tenazmente, desplazando las demás consideraciones y sustituyendo a los febriles proyectos en que se venía refugiando desde que volvió a casa y le dijeron que ella había salido, refugio artificial como un castillo de naipes que se le derrumbaba.

Llegó al cuarto de Isabel, dio la luz y se sentó a la mesa sin ningún apresuramiento. El fulgor de sus propósitos se había desvanecido y contempló las carpetas largo rato sin determinarse a abrirlas. Ya los mismos rótulos que había escrito por fuera en diversas ocasiones le provocaban una sensación de desagrado que alicortaba sus escasos ánimos para hurgar en aquel desordenado caos de comienzos abortados. «Posibles comienzos», «Originales viejos», «Frustraciones e incompletos», eran algunos de los títulos. Echó de menos a Isabel, si ella no se hubiera ido, le habría hablado de las dificultades de empezar, de este progresivo anquilosamiento suyo frente a la escritura. Tal vez habrían acabado hablando también de la rémora que suponía vivir con Gloria y los comentarios de Isabel, sarcásticos e inteligentes, habrían conseguido inmunizarle contra esta inquietud obsesiva. Se cambió al sofá donde ella había estado tumbada, como buscando el amparo de su rastro y abrió el libro que había dejado abandonado allí. Había una cartita señalando la página. «Te he estado esperando hasta las diez —leyó—, llámame por teléfono en seguida, estoy muy preocupado de que te haya podido pasar algo. Un beso. Salvador.» Cerró el libro y se acordó de la escena con Gloria por la mañana. No quería inmiscuirse en asuntos ajenos, cuántas peleas con Agustina por culpa de aquel vicio que tenía ella de fisgar en sus papeles. Pero no le extrañaba que Isabel hiciera sufrir a sus amigos, siempre se lo había imaginado y le halagaba porque favorecía un paralelo de afinidades entre los dos que, desde que era niña, a él le había gustado fomentar. «Hay gente que nace para sufrir y otra para hacer sufrir», decía con frecuencia Agustina. Jaime se parecía a la madre, era del grupo de los que tienden a sufrir. Isabel, en cambio, era lógica, despegada y segura, como lo había sido él hasta hacía poco tiempo.

Se levantó con desgana y abrió la carpeta donde decía «Posibles comienzos», buscó en ella al azar.

«La situación de empezar era siempre la misma —leyó en un folio rayado escrito a mano—. Rebuscar esforzadamente en el interior de uno mismo, después de muchas horas de debatirse en una yerma sábana de hastío y decir con una especie de reiterada compunción: "Hay que hacer algo, hay que hacer algo por salir"...».

Apartó el folio, siempre el mismo trasunto inútil de estados de ánimo, la misma impotencia. ¿Desde cuándo había perdido la seguridad en sí mismo? Oía el rumor de la lluvia en la calle y pensaba con encono y envidia en aquellos miles de locales nocturnos que le había descrito a Víctor con lúcida saña y a alguno de los cuales irían a parar sin duda Pablo y Gloria en cuanto salieran del cine a desgranar sin ton ni son risas y palabras hasta la madrugada, dardos dirigidos contra su amor propio desde el desafiante baluarte de su inconsciencia y su juventud. Porque Gloria, más que necia y provocativa, era, sobre todo, joven.

Tenía veinticinco años cuando la conoció, precisamente el día en que cumplía él cuarenta, poco después de mudarse a esta casa. Tuvo una escena con Agustina a propósito de la fecha y de los recuerdos de siempre. Ya estaban en la cama cuando la bronca se empezó a enconar, pero en vez de darse la vuelta y tratar de dormir, se vistió y se fue a la calle, sin atender a sus lágrimas. Ya era una cosa que hacía pocas veces y se sintió muy libre entre la gente desconocida, gozosamente abierto a las sorpresas que podía depararle la ciudad iluminada; decidió volver a salir de noche siempre que se lo pidiera el cuerpo, sin que eso tuviera que significar un triunfo conseguido al precio de voces y portazos. Era precisamente una noche de sábado y se topó con unos conocidos que iban a casa de otros amigos y le arrastraron con ellos. Era el chalet de un actor que vivía en las afueras de Madrid y debían celebrar algo, porque había mucha gente. Allí se encontró con Pablo Valladares, un traductor joven de la editorial, que quería ser director de cine. Estaba bastante borracho y le presentó a una chica vestida de satén verde a la que estaba abrazando inmoderadamente sobre un sofá y que le miró desde el primer momento con una intensidad inconfundible. Se olvidó completamente del disgusto con su mujer y se puso a beber cerca de ellos con aquella seriedad suya de actor inglés, imbuido del acicate de mostrarse entre displicente e irresistible ante una mujer desconocida que le miraba, terreno en el que siempre había sido maestro y llevaba las de ganar. Bastaba con esperar el tiempo que hiciera falta. Pero le hizo falta poco.

Pablo acabó desapareciendo porque alguien lo llevó a acostarse, y él, sentado en el suelo junto a aquella chica que tenía los hombros y el escote espolvoreados de minúsculas lentejuelas adherentes, en un rincón apartado de una casa que ni siquiera podía decir por qué barrio caía exactamente, donde nadie sería capaz de localizarlo, libre, sereno, fumando con la mirada estudiadamente perdida en el vacío, bebiendo wodka, diciendo de vez en cuando, entre un fragor de música descoyuntada, frases aceradas y desconcertantes, para aquella chica que tenía al lado y que le miraba con intriga y codicia, un ser nuevo girando en su órbita. Fue ella quien le empezó a besar.

—Me llamo Gloria, ¿y tú?

—Diego.

—Me gustas mucho.

Tenía los labios gruesos y unos ojos grandes y claros, notablemente desprovistos de expresión.

—Pero mucho mucho —repetía.

Estuvieron un rato muy largo besándose sin hablar.

—¿Te acuestas con Pablo? —le preguntó él luego.

—Sí, a veces. ¿Por qué?

—Por nada, por saberlo.

—¿Lo conoces mucho?

—Nunca conozco mucho a nadie.
—¿Qué piensas de él?
—Que tiene buen gusto.
—A mí me espanta la monogamia, ¿sabes? —dijo ella de pronto, mirándole—. ¿Por qué no nos vamos de aquí? Nos vamos y nadie lo nota. Llévame un rato a tu casa.
—A mi casa no. Pero hay otros sitios.
Ella no le preguntó que por qué a su casa no. Simplemente se puso de pie. Ni aquella noche ni durante los meses que siguieron le preguntó nada acerca de su vida. La verdad es que Gloria le había planteado bien pocos problemas de tipo posesivo, era el envés radical de Agustina. Incluso a veces —¡quién se lo iba a decir!— llegaba a echar de menos algún asomo de celos en ella. Recordaba ahora con cierta emoción el frío que tenían cuando salieron de aquella casa sin despedirse de nadie a un paisaje de desmontes que le pareció bastante irreal, las nubes fragmentadas y movedizas contra un cielo negro, húmedo, achubascado donde ya se adivinaban los clarores primeros del amanecer, y el cuerpo de ella, duro y ágil que tiritaba contra el suyo mientras buscaban el coche. Recordaba sus risas, sus abrazos y sus traspiés, la silueta de una grúa amarilla, los ladridos de un perro. Apoyarse así, de forma espontánea y casi inconsciente contra una persona joven que le brindaba su cuerpo sin más problemas era algo tan directo y casual que volvía fraudulentas, por contraste, todas las frases que estaba acostumbrado a elaborar como garantía de sus transportes amorosos, le encendía la sangre y aventaba las amenazas del día siguiente, tan distante y cuestionable bajo aquel cielo de color escurridizo.
Fueron a un hotel de la carretera encontrado al azar, sin una decoración ni un confort ni una localización peculiares. Era un lugar para olvidarlo, como a ella. A ella le iban locales así impersonales, que no dejan rastro nin-

guno, y tal vez por eso quiso que volvieran a buscarlo otras noches, a lo largo de aquella primavera, tan cargada para él de conflictos que, excepto las horas pasadas con Gloria en aquel albergue de carretera cuyo nombre había olvidado, preferiría que en ese mismo río de olvido se hubieran anegado también el resto de las escenas que, con un crescendo de dramatismo, se desarrollaban en su casa. A mediados de verano habló seriamente con Agustina de separación y la idea de aquel final irreversible provocó en ella la primera crisis grave de nervios que hubo que someter a tratamiento, rematada por la llegada del abuelo Sousa, que tomó cartas en el asunto y se los llevó con él a Portugal. Había dejado de ver a Gloria una temporada larga. Cuando volvió a encontrarla, ella le habló con naturalidad, como si acabaran de verse la noche antes. Igual que debía estar haciendo en estos momentos con Pablo Valladares.

Volvió a mirar distraídamente aquel escrito viejo que no estaba mal: «La situación de empezar era siempre la misma...», pero más atento al rumor apagado de la lluvia en la calle que a renovar sus propósitos de concentración.

*—Pour un coeur qui s'ennuie*
*oh, le chant de la pluie...*

—recitó en voz alta.

Luego se puso de pie, recogió las carpetas y salió de la habitación de Isabel no sin dirigirle, antes de apagar la luz, una mirada un poco melancólica.

¿Pero qué sentido tenía seguir aguantando sin convicción una soledad que se le hacía tan inhóspita?

La vida de la calle, según avanzaba de nuevo por el pasillo silencioso, le inyectaba en la piel un irresistible hormigueo, imaginaba el dinero fluyendo, la música bulliciosa de los locales, las luces indirectas sobre el gesticular anodino de los rostros; y el consejo de Víctor: «¿Por qué no lo escribes?», afloraba ya apenas, arrastrado como una hoja seca por la creciente y encrespada marea que alcanza más aún con sus embate a cuantos han intentado ponerle diques, resistir a contrapelo la tentación del sábado por la noche.

Dejó las carpetas en el armario del dormitorio, entre las camisas. Mañana puede ser que las cogiera otra vez: «La situación de empezar era siempre la misma»...

Salió al pasillo poniéndose la gabardina y alcanzó la puerta de la calle a largas zancadas. Eran poco más de las doce y media. Le daba tiempo de llegar a la salida del *Rex*.

«Otro día que dejamos intacta la cena», pensó al pasar por delante de la cocina.

Hechos de los [illegible] padre y madre, el ma[illegible] [illegible] de los [illegible], y el [illegible] de [illegible]. «¿Por qué no la [illegible]?», [illegible] y [illegible] [illegible] como una [illegible] por la [illegible] [illegible] que [illegible] [illegible] con [illegible] [illegible] [illegible] [illegible] [illegible] [illegible] a [illegible] la sensación del [illegible] por la noche.

Pero las carpetas en el armario [illegible] las camisas. [illegible] que las [illegible]. «La sensación de [illegible] era siempre la misma.»

Salió al pasillo [illegible] [illegible] y [illegible] la puerta de la calle a largas zancadas. Eran poco más de la doce y media. [illegible] de llegar a la cita del [illegible].

[illegible] [illegible] que [illegible] [illegible] la [illegible], [illegible] el [illegible] por [illegible] de la [illegible].

# Seis

Se despertó con aquella conocida opresión en el pecho y, aún antes de recordar dónde estaba, llevó a cabo el gesto de taparse la cara con las sábanas como en un rechazo a ver la luz del nuevo día indeciso y gris. Era un gesto tan maquinal en ella desde hacía varias semanas que ninguna sensación de extrañeza le aportó, ni las imágenes, todavía inconexas, que por unos instantes le rondaron como moscardones en la clandestinidad de su escondite contribuyeron más que a aumentar su malestar físico, pero no a traer a su conciencia el recuerdo de cambio sustancial alguno. Permaneció un rato inmóvil, boca abajo, alguien la debía estar buscando. Antes, en el sueño, iba subiendo por la ladera de una montaña a reunirse con él que la llamaba animándola desde arriba y, aunque del fondo del valle le llegaban voces confusas avisándole de los peligros de aquella ascensión, no veía los rostros de esa gente ni tenía ganas de volverse a mirarlos, atenta solamente a pisar con cuidado y a gozar del aire frío que agitaba su pelo. Ahora, en cambio, por mucho que se tapara con la sábana, veía la cara compungida de su madre hablando con la abuela Remedios y percibía la alteración de los semblantes como un enigma que debía descifrar porque aquella conversación se refería directamente a ella, y la montaña había desaparecido para dar paso a una decoración más concreta y conocida: la cocina de su casa con el calendario, la televisión y la bombona naranja del butano; escenario bien poco reacio a desvanecerse, tenaz, indeleble, arraigado en la entraña misma de su ser con unos cimientos que ningún cataclismo desbarataba. Contuvo la respiración y seguía estando en la misma cocina frente a aquellos dos rostros cada vez más delimitados cuyas miradas se cruzaban con la suya en demanda de respuesta a sus razones monótonas, tenía que zanjar cuanto antes aquella avalancha de palabras con alguna frase tajante y definitiva. «Es muy tarde, madre, me están esperando hace rato. Me tengo que ir», articuló por fin con trabajo. Y se inclinó a coger su maleta posada allí junto a la bombona de butano, debajo del calendario en relieves plateados que representaba una casa nevada rodeada de abetos. Y en el calendario ponía 20, septiembre, sábado, las fechas, siempre las fechas, acorralar la vida y los sueños perennemente entre fechas. De qué le servía seguirse tapando la cabeza con estas sábanas de tacto algo distinto al que tenían las de otras veces. Ahora ya, por desventura, se acordaba con ineludible evidencia de que aquella escena había tenido lugar de verdad ayer sábado veinte de septiembre por la tarde y sabía que era la raíz y la clave de este despertar del domingo en una habitación desconocida que ya no valía la pena de seguir jugando a ocultar detrás de una venda de lienzo. El sueño se había roto sin compostura posible, había que esperar un puñado de horas de contenido incierto para volver a escalar una montaña o tenderse en una playa o pasear por un bosque o meterse en un tren de la mano de aquel hombre que no tenía reloj porque se lo había regalado a ella. «Toma mi reloj —le dijo al despedirse—. No quiero volver a saber la hora hasta que te vuelva a ver. Te dejo mi tiempo.» Se destapó la cabeza y sacó de entre las sábanas la muñeca delgada cubierta por la esfera grande de un Certina parado en las cuatro. Anoche estaba tan cansada que se había olvidado de darle cuerda. ¿Qué habría sido del tiempo de Gonzalo durante este mes inacabable registrado a paso de tortuga por las agujas de su reloj? La lluvia batía con un rumor leve contra los cristales de la ventana que daba a un patio y que recordaba abierta la última vez que la había mirado. A la claridad mortecina que se filtraba ahora a través de los cristales, sus ojos iniciaron un recorrido desamparado y cobarde por los objetos inexpresivos de la habitación hasta que se toparon con la maleta marrón que había recogido de debajo del calendario y que luego el señor alto llevó un rato por la calle, cerrada todavía. Se levantó en combinación, como espoleada por un súbito aliciente, la abrió, buscó entre las ropas con incontrolada avidez y el tacto de un sobre que encontró en el fondo le relajó la expresión contraída. Lo sacó un momento —Remite: G. Marín. Maudes, 12. Madrid, ponía en el dorso—, lo palpó con un suspiro y volvió a enterrarlo en el mismo sitio. Se vistió rápidamente. No iba a empezar con melindres ahora. Había venido a esta casa por su propia voluntad y tenía que apechar con ello, era dueña de su destino, así se lo había dicho a su madre con una firmeza que no iba a desmentir tan pronto ni a consentir que se viera enturbiada por el recuerdo de la frase sentenciosa con que la despidió la abuela: «Pues valiente destino, Luisa, hija, el de aguantar que te mangonee una señora que a saber las costumbres que tendrá, para semejante viaje no habíamos menester alforjas». A lo largo del día de hoy iba a enterarse un poco de las costumbres de aquella señora, y la verdad es que le producía cierta curiosidad. Abrió la ventana y se puso a hacer la cama con diligencia. La otra estaba ya hecha y a la desazón, algo amortiguada ya, del despertar venía a sobreponerse una incipiente mala conciencia al imaginarse tachada de holgazana por la otra chica. Mientras llevaba a cabo su tarea con esmero y prontitud se esforzó en vano por recordar su nombre. Era corto, de dos sílabas y la dificultad de encontrarlo tendía a interpretarla como un signo de mal agüero que la incomodaba.

Seguía obsesionada por esta pesquisa mental cuando salió a la cocina ya vestida y peinada. En seguida vio a la otra chica que estaba junto a la nevera y se volvía al ruido de sus pasos y comprobó con alegría que, a la vista de aquel rostro, el nombre le bajaba a la memoria rasgando la niebla donde zozobraban los perfiles de su nueva situación. Lo pronunció con seguridad, en un tono casi de triunfo, como si conjurase, al decirlo, fantasmales amenazas; siempre había estado influida por las supersticiones.

—Buenos días, Pura. ¿Cómo no me has llamado?

—No es tan tarde —dijo Pura—. Son las nueve menos cuarto. Además, en esta casa, los domingos, no sé a qué santo se levanta una temprano. Ya verás hasta que amanezca alguno. ¿Qué tal has dormido tú?

—Muy bien, sólo me he levantado una vez al baño. Por cierto —dijo, y comprobó que en el momento mismo que lo decía se acababa de acordar—, que cuando ya me metía en el cuarto entraba de la calle una mujer joven muy bien puesta, me figuro que sería la señora. No sé si me vería, pero a mí me dio corte saludarla. Creo que era hace poco, estaba ya clareando.

—Bueno, sí, no me extraña. Los sábados se van todos de picos pardos en esta casa. ¿Venía sola?

—Me parece que sí.

—Eso va a acabar como el rosario de la aurora —dijo Pura—. Claro que yo ya no lo voy a ver.

—Eso, ¿qué?

—La pareja ésta. ¿Desayunas? Yo iba a hacer un poco de café para mí.

Luisa dijo que bueno y, mientras Pura preparaba el café, ella, siguiendo sus indicaciones, encontró los tazones, las galletas y el azúcar y lo puso todo sobre la mesa de mármol.

—Pues me ha parecido muy guapa —dijo cuando se

sentaron una enfrente de otra a desayunar—. Y eso que sólo la he visto de refilón.
—Ya, sería por eso.
—¿No es guapa?
—Bueno, tiene cara de muñeca, de esas que ponen la boca así como *o*. Gracias al arreglo, claro, así cualquiera. Tú no sabes lo que se gasta en botes y en trapos y en peluquería, millonadas, una cosa totalmente de locura.
—Sí, desde luego venía muy bien arreglada. Traía un abrigo de piel maravilloso, gris me ha parecido, y el pelo todo para arriba con bucles cogidos, como una actriz de cine.
—Sí —dijo Pura—, eso quiere.
A Luisa pareció conmoverle de forma particular aquella insinuación.
—¿Por qué lo dices? —preguntó—. ¿Se dedica al cine?
—Ni se dedica ni se deja de dedicar. Pero es porque no le sale nada. Andar detrás de ello, eso sí, desde hace mucho, desde antes que el señor la conociera.
—¿Y no ha hecho nunca nada?
—Pues mira, entre dos platos nada. Algún papelito en el teatro y en la televisión, de esos de «señor, aquí le dejo el vaso de whisky». Ahora parece que le van a dar no sé qué, a base de mendigar entrevistas y de ir a fiestas, todo el día brujuleando de la ceca a la meca, madre mía, si no para.
—Debe de ser muy difícil, de todas maneras, hacer carrera en el cine —comentó Luisa reflexivamente.
—Sí, bueno, pero lo primero, hija, es que hay que valer.
—Ya, valer, pero eso es lo malo, quién juzga si vales o no.
Luisa ahora miraba a lo lejos, distraída, como si estuviera en otro sitio. Pura la miró con cierta intriga. Aún

así recién despertada y sin arreglar nada, tenía una belleza poco común.

—¿Qué pasa? ¿Es que tú has intentado hacer cine alguna vez?

Luisa bajó la vista.

—No. Bueno, este verano salí de extra en una película que fueron a rodar a mi pueblo. Pero también salieron otras amigas. Fuimos una tarde a la Pedriza del Manzanares, a ver el rodaje, ruedan allí muchas películas del Oeste y de romanos; ésta no, ésta es española, y conocimos a un ayudante de dirección que nos dijo que estaban buscando gente. Mi madre no quería, no sé si se me verá mucho, ni hablo ni nada. Pues bueno, ese chico se hizo luego muy amigo mío y es el que me ha dicho que cuesta mucho llegar a algo en el cine, que todo son envidias y zancadillas.

—Sí, eso es lo que dice ella también. En el *Hola* vino hace poco quejándose de que los empresarios le tienen puesta la proa porque no quiere ser como las demás.

—¿En qué no quiere ser como las demás? —preguntó Luisa, ingenuamente.

Pura se echó a reír.

—Ya ves, eso digo yo. Con la de chicas que habrá, fíjate, que valgan para actrices y que no tengan sus agarraderas. Dios le da pañuelo a quien no tiene narices.

—Yo, eso es verdad. A mí, por ejemplo, me encantaría —confesó Luisa con calor—. Ya comprendo que es muy difícil, pero de sueños también se vive. Y ese amigo dice que valgo.

Pura se la quedó mirando y ella notó que se ponía colorada.

—Pues claro que sí, eres tonta, ¿por qué no vas a valer? Para eso no se necesitan estudios.

—Yo además tengo casi acabado el bachillerato.

—Si el bachillerato no hace falta, mujer. Para esas cosas basta con dejar la decencia a un lado, tú sabrás si te compensa. Seguro que ya te lo habrá explicado tu amigo, ¿a que sí?

Luisa bajó la cara porque notaba que le ardía.

—No.

—Pues vaya un amigo.

—¿Y al señor no le importa que ella haga cine? —preguntó para cambiar de conversación.

—Eso dice, que no le importa, pero siempre andan discutiendo por culpa de lo mismo. Isabel cree que sobre todo le da vergüenza lo mal que lo hace. A saber. Ahora están que casi no se hablan a cuenta de la película nueva. A mí me parece que son celos, por las buenas.

Luisa había acabado su café y se levantó a recoger los cacharros sucios.

—Bueno —dijo—. Yo ya he hecho mi cama. Cuando quieras, nos ponemos a trabajar.

—[illegible] Esta mujer [illegible] está [illegible] para [illegible] la [illegible] y [illegible] lado, [illegible] que ya [illegible] cada [illegible]

([illegible])

Luisa [illegible] para [illegible] que [illegible] toda.

—[illegible]

—Pues vaya un apaño.

—¿Y a usted no le importa que ella haga eso? —preguntó para cambiar de conversación.

—Eso dice que no le importa, pero siempre anda lamentando [illegible] por culpa de [illegible] mismo. [illegible] sobre todo le da vergüenza lo mal que lo [illegible]. Ahora [illegible] ese [illegible] no [illegible] cuenta de [illegible] nueva. [illegible] me [illegible] por [illegible]

Luisa había acabado [illegible] a recoger los cacharros sucios.

—Bueno —dijo—. Yo ya he hecho mi cama. ¿Cuándo quieres que empecemos a [illegible]?

# Siete

Poco después del mediodía, cuando Luisa ya sabía dónde se guardaban los cubiertos, la ropa de cama y los utensilios de limpieza, había aprendido a manejar la lavadora, el horno, la olla exprés, el Electrolux y el triturabasuras y conocía todas las habitaciones de la casa excepto aquellas dos de los extremos del pasillo que permanecían cerradas y silenciosas, empezaron a precipitarse los acontecimientos a partir de un timbrazo que la sobrecogió a manera de señal de alarma. Estaba embebida en la contemplación de un cuadro del despacho que representaba unos fresnos con la firma de Víctor Poncela abajo a la derecha, y se volvió con tal atolondramiento que tropezó con una banqueta recién desplazada por Pura y cayó sentada encima.

—Hija, qué susto. ¿Quién será? ¿O llaman dentro de la casa?

—No, es el timbre de la calle. El otro que tienen los señores en su dormitorio se distingue muy bien, en cuanto lo oigas lo conocerás, suena así más ronco, hace «rrrru», y el del cuarto de Isabel igual, pero, bueno, ése no es problema porque ella nunca llama, ni le gusta que le hagan su cama ni que le toquen los papeles de la mesa ni nada, rara vez me deja entrar a limpiar, es un caso Isabel.

—Ya, bueno, pero oye... habrá que abrir.

—Sí, claro, ahora voy. Tú tranquila, chica, que no es ninguna película de misterio. Si cada vez que llamen a la puerta te vas a poner así, igual acabas mala del corazón.

Luisa se agachó a coger una peineta que se le había caído del pelo.

—Si yo no me pongo de ninguna manera —replicó un poco molesta.

—¡Anda, que no...!

Mientras la otra iba a abrir la puerta, trató de serenarse, pero, al tiempo que juzgaba pueril y desmesurado su susto, tenía que reconocer también que el tono que empleaba Pura en todos sus comentarios no sólo era excesivamente frío, sino que adolecía de insolencia también. Empezaba a pensar que era incapaz de apiadarse de nadie ni de apasionarse por nada y, al recordar que la noche anterior había estado a punto de hacerle importantes confidencias, se alegró mucho de que el sueño y la fatiga se hubieran aliado para poner trabas a un propósito que hoy ni lejanamente se le pasaba por la cabeza renovar. Casi tenía ganas de que se fuera ya. Después de todo, el trabajo de la casa no le parecía tan complicado y además, aunque lo fuera, le excitaban las dificultades que le pudiera plantear y estaba dispuesta a hacerles frente con la mejor voluntad posible. Se sentía capaz, sabía que era lista y que cuando se ponía a hacer una cosa cualquiera con interés no necesitaba de nadie para salir adelante en el desempeño. Su padre se lo había dicho desde que era pequeña: «Tú vales para todo, hija, lo que pasa es que tienes que querer, sin motivo no te gusta hacer nada», pero se lo decía sonriendo, no como un reproche; qué bien se entendía con su padre. Para hacer las cosas había que tener un motivo, claro, pero ella lo había tenido, y bien importante, para ponerse a servir, un motivo que seguramente su padre, si viviera, habría entendido y respetado.

Le distrajo de sus cavilaciones un rumor de conversación en el pasillo; los tonos de las voces aumentaban y se agudizaban en un crescendo de alteración. Se acercó de puntillas a la puerta, la entreabrió y vio a Pura parada delante del cuarto de Isabel con un chico guapísimo de cazadora azul. Qué pelo, qué ojos, qué todo, debía ser el hermano de Isabel; en esta casa, por lo visto, eran todos guapos.

—Cuanto mejor que esperaras en la cocina a que se levantaran —le estaba diciendo Pura—, cuando se te mete una cosa en la cabeza eres de temer. Anda, ven allí un rato conmigo, te hago un café que te sentará bien y así te tranquilizas.

El chico era presa de visible agitación. Se desprendió del brazo que Pura acababa de poner en el suyo y agarró decididamente el picaporte del cuarto de Isabel.

—¡Déjame en paz! —dijo de malos modos—, son cosas mías. A mí no me tienes que dar consejos tú, ya estoy harto de que me deis consejos todos. Sé muy bien lo que quiero.

Luisa cerró la puerta sin hacer ruido. El corazón le latía apresuradamente. ¿La habrían visto? Avanzó hacia la ventana, la abrió y miró el cielo. Había dejado de llover y, por encima de los altos edificios de enfrente, una creciente claridad maduraba entre los rasgones de las nubes sucias, anunciando la victoria del sol. A la izquierda de la ventana sobresalía una terracita con toldo azul recogido que debía pertenecer al cuarto de Isabel. Se metió, cogió de encima de la mesa el frasco del limpiacristales y, mientras embebía de aquel líquido azul un pañito blanco doblado, se volvía a animar en su decisión de trabajar esmeradamente y de dar por cancelada la breve etapa de aprendizaje. La propia Pura se había quedado sorprendida de su eficacia para entender las cosas y hacerlas en seguida por su cuenta, sobre todo no habiendo servido antes en ninguna casa. «Pero si son tareas que tienen las letras muy gordas, mujer —le había contestado ella—. Y luego con tantos aparatos a tu disposición. Tendría que ser tonta.» A Pura pareció decepcionarle un poco aquel tono de independencia y seguridad que adoptaba su discípula. «Bueno, bueno —había replicado—, ya veremos mañana.» «¿Mañana por qué? Mejor me saldrá mañana que hoy, ¿no?» «Ojalá, hija, yo qué más quiero —dijo Pura disimulando a duras penas una punta de acritud—. Pero te advierto que no le vas a poder echar la misma moral al asunto cuando tengas que lidiar con la señora, eso es lo que te quiero decir, que por ahora todo lo que estás haciendo es como torear sin tener el toro delante, ¿entiendes?, nada más, el que avisa no es traidor.» «Bueno, chica, pues lo que sea sonará, ya procuraré yo pillarle el aire a la señora, tampoco será para tanto.»

Ahora, subida en una banqueta, mientras frotaba concienzudamente los cristales empezando por la parte más alta, se daba cuenta de las ganas que tenía de verle ya la cara a aquel toro tan temible. Le parecía que había pasado mucho tiempo desde su llegada a esta casa y ya los perfiles apenas atisbados de su moradores y aquella complicada urdimbre de historias incompletas y contradictorias lograban encender su interés y desviarlo de la atención hacia su propio problema. Estaba deseando que se levantaran, tenerlos delante, oírlos, poderlos observar y juzgar por sí misma, no a través de las alusiones displicentes y rencorosas de Pura. La oyó entrar pero no se volvió. Notó que se había parado detrás de ella.

—Ah, muy bien, te has puesto con los cristales. Eso, empezando por arriba. Aquí tienes un pañito seco para pasárselo luego.

—Sí, ya lo he visto.

—Luego, cuando acabes, vente a la cocina. Voy a hacer más café. Ya empiezan los líos.

Luisa se bajó de la banqueta y volvió a echar líquido azul en el trapito.

—¿Quién era? —preguntó con tono indiferente.

—Jaime, el chico mayor. Tengo unas ganas ya de perderlos de vista a todos. Desde luego, hija, no te arriendo la ganancia. Viene bueno el niño, no veas.
—¿Sí? ¿Pues cómo viene?
—Borracho y con ganas de bronca. No he visto en mi vida a un tío con peor vino, siempre le da agresiva. Escucha, escucha, ¿no lo oyes?
Se oía, efectivamente, a través del tabique, un coro de dos voces que se superponían y exaltaban al unísono, como azuzándose una a otra. Era muy difícil diferenciarlas por lo parecido del timbre. Algunas expresiones aisladas como «imbécil», «mamá», «harto», «cállate», «esta casa» y «no me da la gana» destacaban en medio del alboroto como piedras lanzadas contra las paredes de aquella desconocida estancia fronteriza.
—Sí, ya oigo —dijo Luisa—. Está riñendo con su hermana, ¿no?
—Sí, claro, y esto no es más que el principio. Como le dé por entrar en el cuarto de su padre, ya verás la qué se forma. Eso será el fin de fiesta.
—¿Pero por qué riñen?
—Por lo de siempre, por la madre. Que Jaime se empeña en defender a la madre, pero como no es capaz de aguantarla él solo, porque no es capaz de eso ni de nada, siempre acaba viniendo a pedir árnica aquí. Más valía que arreglara su propia vida en vez de tanto meterse a redentor. Si a esa señora lo que tenían es que internarla en una clínica, mientras no se decidan a eso, la cosa no tiene solución. Pero claro, él necesita justificarse con este asunto de la madre y hacerse el indispensable y el alma noble. Como le quitaran ese entretenimiento se hundía.
—La madre, ¿es que está mala?
—¿Mala? ¡Loca de remate es lo que está! ¿Tú no viste lo que hizo anoche de dejar al marido con la palabra

en la boca? Pues siempre por el estilo. Y lo malo es que está empeñada en que él la adora, no se convence de lo contrario pase lo que pase.

—¡Pobre mujer! —dijo Luisa—. ¡Cuánto debe sufrir! ¿Tú la ves?

—Ya poco. Alguna vez voy a su casa a llevarle algún recado, está fatal, se pasa el día sola bebiendo y oyendo discos. Al principio quería que me hubiera ido con ella, me ofreció el oro y el moro, pero ahora vive con una criada portuguesa vieja y a mí casi no me habla cuando voy. Le ha dado por tener celos de mí.

—¿De ti, por qué?

—Pues porque coge celos de todo el mundo que esté cerca de su Diego, como los cogerá de ti también. Tenías que ver las cartas que le escribe. Yo he visto algunas.

—Me parece una cosa muy fea —dijo Luisa seria.

—Pero no seas cursi, si no es fisgar. Si es que él las deja por el medio o las tira al cesto de los papeles y muchas veces sin abrir siquiera.

—¿Sin abrir? —se escandalizó Luisa—. ¡Qué maldad!

—A mí no me extraña que esté harto. Hay temporadas que le da por escribirle dos al día y son todas iguales.

—Una carta nunca puede ser igual a otra —dijo Luisa con calor—, eso no. Aunque digas cosas parecidas, las dices en días diferentes. Y te parece lo más importante del mundo volverlo a decir.

Pura la miró con desconcierto.

—Chica, a tu edad bueno. Pero escribir cartas de novia con florecitas pegadas a los cincuenta años es hacer el ridículo en toda tierra de garbanzos.

Luisa se había quedado pensativa.

—A mí no me parece ridículo estar enamorado a ninguna edad —dijo—. Di que es una desgracia, pero no que es ridículo.

—Bueno, hija —concluyó Pura con voz de burla—, pues

nada. Cada cual lo que le guste. Si te van los amores turbulentos, en esta casa desde luego lo vas a pasar como un sultán... Pero bueno, ¿no estás oyendo? Yo voy a salir a ver. Esos se matan.

El vocerío del cuarto de al lado se había encrespado, efectivamente, hasta tal punto que resultaba difícil seguirse manteniendo al margen de aquel alboroto tan próximo.

—Anda, vente, deja eso ahora —dijo Pura, ya abriendo la puerta—. Mejor será que los vayas conociendo en su salsa.

Se oyó el golpe de un mueble derribado y pasos que corrían. Pura salió al pasillo seguida a cierta distancia por Luisa y en ese mismo momento se abría también la puerta del cuarto de al lado y Jaime, que acababa de soltarse violentamente de su hermana y arrancaba a correr hacia el otro extremo del pasillo, se tropezó con ellas y se vio frenado en su impulsiva fuga por aquellos dos obstáculos sucesivos. Particularmente, el choque con Luisa había sido tan brusco que durante unos instantes quedaron uno en brazos de otra y no tuvieron más remedio que mirarse a la cara. En el gesto de ella había turbación, en el de Jaime perplejidad.

—¿Qué pasa? ¿Te he hecho daño? Pero, ¿quién eres tú? —preguntó con una voz repentinamente sumisa y balbuciente.

Luisa fue a apoyarse en la pared y no contestó nada. Se frotaba el hombro dolorido sin atreverse a levantar nuevamente la mirada hacia aquellos ojos interrogantes y turbios que sin duda esperaban su respuesta.

—Si es que vas como loco —dijo Pura—, si es que estás loco.

Jaime avanzó con paso vacilante hacia el ensanchamiento del vestíbulo, que estaba a pocos metros, se sentó en un

banco antiguo de madera y se tapó la cara con las manos.
—No hay derecho a que me tratéis así, no hay derecho —exclamaba con voz entrecortada—, siempre tengo que tener yo la culpa de todo, siempre, siempre, no puedo más.
—Podando viñas en mi pueblo tenías que estar —murmuró Pura entre dientes.
Luisa, que miraba a Jaime con una mezcla de piedad y mala conciencia por haber contribuido a desencadenar aquella escena, sintió ahora en su hombro la presión de una mano pequeña. Se fijó en la gran sortija de piedra negra que adornaba uno de los dedos y en seguida se separó de la pared y trató de componer su expresión y su ademán para que, al mirar a Isabel, no se le traslucieran rastros de emoción alguna. La vio allí a su lado con un pijama de seda de color marfil, sonriente y amable como si nada pasara, y decidió esperar a que hablara ella.
—¿Qué hay, te ha hecho daño? —preguntó Isabel, sin quitarle la mano del hombro—. Lo siento.
Era un poco más alta que ella y tenía una mirada directa y clara como la del padre. A Luisa le sorprendió la capacidad de esta gente para sobreponerse a las situaciones violentas y comparó mentalmente esta escena con la de la tarde anterior, a raíz del portazo de aquella pobre señora que escribía al vacío cartas de amor. Evocó con una brusca nitidez la silueta de mujer que se alejaba a pasos rápidos sobre sus tacones, el abrigo ondulante, los tobillos finos, la luz amoratada de ese atardecer que ahora se le antojaba tan distante.
—No, señorita —dijo—. No ha sido nada. Buenos días.
Isabel quitó la mano de su hombro y la miró con intensidad. Luego se volvió a Pura.

—¿Qué hora es, Pura?
—La una menos veinte —contestó Luisa consultando su Certina, al que ya había dado cuerda.
—¿Tan tarde? —dijo Pura—. Yo tengo que llamar a casa de mis tíos.
—¿Cuándo te vas? —le preguntó Isabel.
—Pues igual esta tarde, no sé. A ver si por fin me lleva ese amigo de mis tíos en el coche.
—¿No se ha levantado nadie?
—No, nadie, estoy esperando a que se levante la señorita Gloria para decírselo a ver qué le parece.
—A ella no le tiene que parecer nada —dijo Isabel bruscamente.
—A mí, la verdad —dijo Pura con una repentina animación—, me vendría bien irme cuanto antes. La chica ésta ya está, además, bastante enseñada.
Luisa bajó los ojos y de pronto se sintió tan marginada como el chico de la cazadora azul derrumbado sobre el banco del que parecían haberse olvidado por completo. La molestia que le producía no haber sido aludida por su nombre de pila le provocó un fulminante arrebato de ternura hacia él y le sintió cercano y solidario, como si su malestar afluyera a confundirse con el de ella por cauces incomprensibles. Le habría gustado sentarse junto a él, acariciarle el pelo suave que caía sobre su frente, ponerse a llorar sobre su hombro, seguro que lo admitiría sin hostilidad ni extrañeza.
—Pero claro, márchate cuando te dé la gana —estaba diciendo Isabel ahora—, tú no te preocupes de Gloria, pues no faltaría más. Yo se lo digo. Sabe Dios a la hora que se levantará.
—Sí, sabe Dios —remachó Pura—, vino tardísimo.
—Pues por eso. ¿Te tiene que pagar o algo?
—Qué va, ya me pagó tu padre ayer.
—Entonces nada, ¿qué problema hay?, te vas cuando

te convenga. No sé qué miramientos vas a andar teniendo con ella, sería el colmo.
Pura pareció que veía el cielo abierto.
—Pues puede que tengas razón. La comida ya la he dejado hecha. Y además, la cena de ayer no la tocasteis. Aquí lo que sobra siempre es comida, ya se lo decía antes a ésta, ¿verdad?
Miró a Luisa como si de repente pensara en ella con una sombra de preocupación.
—Yo creo que ya sabes bastante bien dónde está todo, y además, mañana viene la señora Basi muy temprano.
La voz se le había humanizado con un tinte ligero de alegría.
—Sí, claro —dijo Luisa—, por mí vete cuando quieras.
—Pues entonces voy a llamar a mis tíos y a recoger las cosas—. Pero antes haré café, que a ése le va a hacer falta.
Se encaminó hacia la cocina y, al pasar, miró a Jaime que se apoyaba ahora contra el respaldo del banco con los ojos cerrados, en una actitud de total desfallecimiento. Estaba muy pálido y se estremecía de vez en cuando emitiendo acentos incomprensibles más cerca del gemido que de la palabra. Isabel se llegó a él y lo sacudió sin violencia, pero con firmeza.
—Vamos, Jaime, ya está bien de cabezonerías. A papá lo verás luego. Ven a dormir un poco. O si no vete, lo que prefieras.
Él levantó unos ojos acuosos e inexpresivos.
—Déjame aquí —dijo con voz pastosa.
—No, nada de eso, aquí no te puedes quedar como una reliquia. Te echas en el despacho. Venga.
—Yo no molesto a nadie, ¿a quién molesto, di? Déjame —insistía él resistiéndose.

Isabel se volvió a Luisa.
—¿Está arreglado el despacho?
—Sí, señorita. Estaba terminando de limpiar los cristales ahora.
—Pues recoge lo que sea que se va a acostar mi hermano en el diván de ahí.
Luisa entró en el despacho, cerró la ventana y se puso a recoger todos los enseres de limpieza, tratando de ratificarse en los ánimos y propósitos que había estado abrigando antes y que de repente sentía batirse en retirada como los restos de un ejército maltrecho. No podía amilanarse tan pronto. La batalla no había hecho más que empezar. Vio entrar a Isabel sujetando a su hermano que apenas era capaz de dar un paso y se dejaba conducir como un fardo inerte.
—¿Quiere que la ayude?
—Sí, gracias, mira, en ese armario suele tener mi padre una manta y una almohada. En ése de ahí.
Luisa abrió el armario y aspiró un olor muy agradable a tabaco de pipa. Había papeles, cajas y prendas de ropa mezclados en un cierto desorden por los anaqueles. Abajo vio una manta escocesa y la almohada que Isabel le pedía y las sacó.
—¿Son éstas?
—Sí, trae. Y ahora baja un poco las persianas, por favor.
Había conseguido acostar a Jaime y le estaba quitando los zapatos. Él se dejaba hacer mientras pronunciaba palabras sueltas con voz quejumbrosa. Luisa se acercó a la ventana. El sol había rasgado las nubes y se extendía sobre las aguas azules de una piscina que había en la terraza de enfrente. Un muchacho con uniforme de botones estaba desplegando unos sillones de lona color naranja y sacudiéndoles el agua de la lluvia. Eran parecidos a los que tenía el señorito Víctor en su jardín de la

tinca. Luisa bajó las persianas y pensó que se iba a quedar buena la tarde. Era un pensamiento que la tranquilizaba sin saber por qué. Se quedó en pie cerca del diván.

—Tú igual que todos —estaba diciendo Jaime—, igual que Joaquín... todos contra mí, pobre mamá... ¡ay, mi cabeza!

Isabel le incorporó la cabeza con cuidado y miró a Luisa.

—Ponle la almohada, ¿quieres?

Luisa obedeció y rozó con los dedos aquel pelo rubio y suave que remataba la frente sudorosa. Jaime, de repente, abrió los ojos y se la quedó mirando como si viera la figura de un sueño.

—Tú eres muy buena —dijo—, tú sí me quieres. Dame un beso, un beso por un verso.

—No digas bobadas, anda, duérmete un rato —intervino Isabel—. ¿Quieres que te traiga café o algo?

—Café, qué asco, no quiero café. Quiero que me dé un beso ella. Dame un beso, Melibea. Eres Melibea.

Luisa se inclinó sin dudarlo y puso sus labios delicada y fugazmente sobre la frente de Jaime con una mezcla de timidez y devoción. Él cerró los ojos sonriendo.

—«En eso conozco, Melibea, la grandeza de Dios —pronunció trabajosamente—, en dar poder a natura que de tan grande hermosura te dotase.»

—Anda, vamos —dijo Isabel que acababa de extenderle la manta sobre el cuerpo—. Coge las cosas.

Y, precediendo a Luisa, salieron de puntillas de la habitación.

# Ocho

Pura se marchó sin llegar a comer siquiera. Después de hablar por teléfono con sus parientes, se empezó a poner nerviosa y le entraron unas prisas tales que no hacía más que entrar y salir en su cuarto sin hablar con nadie ni hacer caso de nada. Isabel la estuvo ayudando al final a recoger algunas cosas y Luisa, que en algún momento había tratado también torpemente de echar una mano, sentía crecerle una extraña opresión en el pecho a medida que el cuarto donde habían dormido las dos aquella noche se iba quedando progresivamente desguarnecido de las ropas y objetos de quien lo había habitado tanto tiempo, hasta que al final vio cómo su maleta marrón, todavía sin deshacer, quedaba allí en el centro sola y deslucida, destacando como el único y modesto ornato de aquel recinto. Cuando Pura salió a la cocina con sus bártulos eran las dos y todavía no se había levantado nadie. Isabel dijo que la acompañaba en coche a casa de sus tíos y, mientras iba a ponerse una chaqueta, Luisa vio cómo Pura garrapateaba unas palabras apresuradas sobre la hoja arrancada de un bloc que había encima del teléfono. Estaba dejando el papelito encima de la nevera cuando Isabel volvió a entrar. Se había anudado el pelo en una cola de caballo que traía sujeta con la mano y Pura le buscó una goma dentro de un cajón donde había también velas y cajas de cerillas.

—Si se levanta alguien —dijo Isabel a Luisa, mientras se anudaba el pelo— les explicas lo que ha pasado, que a Pura hay un amigo que la lleva ahora a su pueblo. Y no te preocupes, yo vuelvo en seguida.

—Está bien, señorita. ¿Su hermano no necesitará nada?

—No creo. Acabo de entrar y está completamente dormido, no amanecerá hasta las siete por lo menos. Ah, lo único es que se lo adviertas a papá, si se levanta, no siendo que se le ocurra entrar en el despacho y lo despierte. Tú a mi padre ya lo conoces, ¿no?
—Sí, sí, vine ayer con él del pueblo.
—Al señor le he dejado una nota ahí encima de la nevera despidiéndome —dijo Pura—, se la das, si haces el favor. Y nada, si llaman al timbre vas, es la última puerta del pasillo a la derecha, ya sabes.
—Bueno, lo malo es que a lo mejor me tropiezo con un mueble o algo, como no conozco la habitación.
Isabel se echó a reír.
—No, mujer, mira, hay primero una especie de salita y luego, a la izquierda, una puerta corredera, que seguramente tendrán abierta. Pero sino, llamas con los nudillos y dices: «¿Se puede?», que eso a Gloria le encanta; en cuanto digas «¿Se puede?» ya te la has metido en un bolsillo. Pero además vendré yo antes, no te apures.
Ya estaban en la puerta. Pura abrazó a Luisa. Se veía que estaba deseando marcharse.
—Que tengas mucha suerte, mujer.
—Gracias. Y tú, buen viaje.
Se marcharon. Se iban riendo por la escalera. Luisa se quedó unos instantes inmóvil en el centro de la cocina, como buscando algún quehacer, mirando humear la última cafetera que la chica antigua había dejado preparada para recibir a los dormidos de la casa. Del patio venían rumores mezclados de canciones en la radio, voces de niños y batir de tenedores, pero todo como si estuviera sonando muy lejos, sin llegar a interferir la quietud de esta habitación limpia, brillante y recogida.
En el campo los ruidos sonaban de otra manera, se metían en la vida de las casas, se incorporaban a ella, la

transformaban. Se sentó y apoyó los codos sobre la mesa de mármol. No tenía hambre ni sueño ni sed, nada, vacío, ni nostalgia siquiera. Sólo un poco de cansancio casi placentero y por debajo, como en sordina, un ligero hormigueo de miedo a no sabía qué, tal vez a que las fuerzas le fallasen. Ya estaba sola. Pasó la mirada morosamente por toda la estancia dejando que sus ojos resbalaran con una indolencia casi sensual por aquellas superficies niqueladas, doradas y blancas, por los interruptores de luz, por el teléfono fijo a la pared, por los tiradores, botones, manivelas, asas, picaportes, tapaderas, baldosas, cristales, todo tan brillante y pulido, como si a través del reconocimiento de aquellos contornos y del repaso de sus funciones respectivas pretendiera tomar conciencia de la nueva situación. Por allí se entra, de allí se tira, aquello se enrosca, por allí se llama, allí se enchufa, allí se tiende la ropa menuda —las sábanas en la azotea de arriba—, allí se da la luz, allí se guardan las servilletas, aquí se come. Eran puntos cardinales para orientarse en aquel viaje que ya empezaba a emprender sola, y ninguno de esos puntos hacía referencia a los panoramas ni a los atajos de su vida anterior. Precisamente en eso residía su frialdad pero también, por otra parte, de ahí emanaba el descanso que producían. Era como ver nevar o como ponerse una bolsa de hielo sobre la frente febril, un consuelo que había echado de menos con tenaz vehemencia a lo largo de las dos últimas semanas en su pueblo, tan agobiantes de calor además, descansar de bruces en un huerto ajeno entre paredes que no signifiquen ni recuerden nada. Se le había hecho interminable la espera, había aguzado todo su tesón y su ingenio para poderse venir sin despertar sospechas y justificar una decisión tan irrevocable como repentina, que el pueblo se le caía encima, que así podría matricularse en inglés por las tardes, que era una casa de toda confianza, que era por hacerle un favor al señorito Víctor; a él había tenido que contarle parte de la verdad para que la ayudara a buscar aquella salida de emergencia y encomiara ante su madre las ventajas inventadas, había tenido que seguir sonriendo, fingiendo, pasando calor, hablando con las mismas amigas, yendo al cine a Villalba y a aquella infecta discoteca donde no era capaz de aguantar ninguna mirada sobre su pelo, ninguna mano en su cintura, ninguna palabra con doble intención, viendo salir el sol, viéndolo ponerse, escuchando los reparos de su madre y las peroratas de su abuela. « ¡Qué ganas tengo —pensaba entonces— de verme en una habitación desconocida donde pueda estar sola y nadie me pregunte si estoy contenta o triste, con ventanas que no den a la montaña, donde no sienta que pueda aparecer mi madre ni vea el calendario de casas plateadas colgado de la pared con esas fechas inmóviles que no acaban de pasar nunca!»

Ahora estaba, al fin, sola en esa habitación imaginada como dentro de una urna de cristal, velando el sueño de unos seres desconocidos, montaba guardia al raso, sin ayuda de nadie, apuntalada por su mismo desarraigo e incertidumbre como un valiente e inexperto centinela. La chica de la cola de caballo y su padre y la señora que quería ser actriz y el otro muchacho de pelo suave que le había pedido un beso estaban a su cargo en alguna medida, eran los puntales de su vacío. Le hacían una compañía que consistía en su mera existencia, distinta de la que le hacan las gentes con las que hablaba y se emparejaba habitualmente en su pueblo a lo largo de los días idénticos, gentes que sabían el nombre de su madre Adela y de su difunto padre Fabián Morales el maestro y de su abuela Remedios y de su tía Antonia y del bar «El rincón» de su tía Antonia y del perro *Colín* del bar de su tía Antonia. Esta compañía de ahora se notaba

menos, era tenue, ligera, imprevisible; pero la otra la había aborrecido.
Llamaron al teléfono y le gustó comprobar que esta vez, a pesar de estar embebida en sus pensamientos, no se había asustado nada. Se levantó a cogerlo sin prisas ni agobios.
—Diga.
—¿Los señores de Alvar?
—Sí, señor. Aquí es.
—¿Está la señorita Gloria?
—Sí está, pero no se ha levantado todavía. ¿Quiere dejar algún recado?
—¿Es usted Pura?
—No, señor. Soy la chica nueva.
—Ah, ya me parecía. Pues nada, dígale que ha llamado Pablo, Pablo Valladares.
—¿Nada más?
—Bueno, que me llame ella si quiere. Dígale que estoy en casa de Pancho.
—Descuide, yo se lo diré.
—Adiós, muchas gracias.
Colgó y se quedó de pie reflexionando. Le parecía que había estado bien, pero tal vez hubiera tenido que preguntarle si se trataba de algún recado urgente, si quería que la avisara. Claro que entonces habría tenido que entrar en aquella habitación cerrada que ya empezaba a antojársele tan misteriosa como la del cuento de Barba Azul, avanzar posiblemente a tientas hacia la puerta corredera, llamar, decir: «¿Se puede?» y resultar tal vez inoportuna. Pura había dicho que cuando dejaban la clavija aquí fuera era porque querían dormir sin que nadie los molestara, que algunos domingos no se levantaban hasta las cinco. ¿Dormirían en una cama sola o en dos? En un bloc con lapicerito colgado de la pared,

el mismo de donde Pura había arrancado la hoja, dejó apuntado: «Pablo Valladares. Llamar a casa de Pancho». Con eso daba rematado su primer servicio a aquella señora tan temible y bien vestida que quería ser actriz. Para ser la primera vez que cogía un recado, estaba contenta; había hablado con mucha seguridad y con unos modales muy finos.

Debajo del teléfono había un mueblecito laqueado en blanco con estantes transversales donde estaba las guías, buscó la que decía «Calles» y la puso encima de la mesa. Todavía iba a estar un rato sola, era un buen momento para iniciar sus gestiones. Entró en su cuarto, abrió la maleta que campeaba solitaria en el centro sobre una silla, extrajo del fondo aquel sobre arrugado cuyo tacto ya le era tan familiar y se lo metió en el bolsillo del delantal azul. Antes de salir del cuarto se miró en un espejo estrecho que había detrás de la puerta. No se había vuelto a acordar de cómo iba vestida y con aquel uniforme que había sido de Pura y le estaba largo y ancho, se encontró fachosa, pero le consoló acordarse de que Jaime en los vapores de su borrachera no parecía haberse dado cuenta ni siquiera de que era la criada. La había mirado como a una aparición, como a una princesa, porque Melibea era sin duda nombre de princesa.

Antes de volverse a sentar a la mesa, apartó el azucarero, la cafetera y las tazas que estaban intactas sobre una bandeja y lo llevó todo al fregadero. Arrancó luego una hoja del bloc, sacó el lapicerito de su caperuza y se sirvió un vaso de vino. Cuando se sentó a la mesa despejada, se sentía a gusto: las cosas había que prepararlas con orden y pausa, si no no salen bien. Bebió un sorbo de vino y se sacó la carta del bolsillo del delantal. No pudo sustraerse a la tentación de volver a leerla una vez más. Era bastante breve:

«Querida Luisa —decía— he recibido tus dos cartas. Yo también me acuerdo mucho de ti y me pesa bastante esta vida tan ajetreada y artificial, después de los días tan bonitos contigo este verano. Pero no empieces a ponerte nerviosa: no hace falta que vengas ni que tomes por ahora ninguna determinación que altere tu vida. Me pone triste que digas que esta historia nuestra ha sido más importante para ti que para mí. Te demostraré pronto lo contrario, ya verás cómo logro encontrarte un trabajo decente aquí. Pero ten paciencia; no puede ser cosa de un día ni de dos. Ahora estoy ocupadísimo y tratando de cobrar bastante dinero que me deben por todas partes. En cuanto me desenrede y arregle las cosas, te iré a ver un día y hablaremos de todo. Me han gustado mucho tus cartas, tan jóvenes y tan sinceras como tú. Nunca me había dicho ninguna mujer unas cosas tan maravillosas, pero es porque tú eres distinta de todas estas muñecas de plástico que me rodean. No estés preocupada ni triste, ten confianza en mí, que ya lo arreglaremos todo, verás como sí. Adiós, niña mía bonita, mi flor silvestre. Un beso como el último al pie de la montaña.

G.»

Debajo traía la fecha; «Madrid, 27, agosto, 75.»
La dobló y la metió en el sobre donde venía escrita la dirección a máquina: «Víctor Poncela (para Luisa) Finca «Los Fresnos». — Matalpino. (Prov. de Madrid)».
Le dio la vuelta y miró fugazmente el remite atravesado en bolígrafo azul: «G. Marín. — Maudes, 12. — Madrid», dejó el sobre a la izquierda y abrió la guía de teléfonos en busca de la calle de Maudes. Pasaba las hojas sin aturullamiento ni prisa, casi con delectación. Manzanares, Maqueda, Marcelo, Marqués, Martínez, Matute... ¡Maudes!, aquí estaba. En el número doce venían die-

ciséis teléfonos, que recorrió de arriba abajo con el dedo, pero ninguno a nombre de Marín, y se quedó mirando al vacío con gesto grave y perplejo ante aquel escollo inesperado. ¿No tendría teléfono? Pero no, no podía ser. Le había oído decir varias veces que en Madrid no se podía vivir por culpa del teléfono, que siempre le estaban despertando y molestando a las horas más intempestivas y las gentes menos apetecibles. En sus encendidos elogios a la vida campestre, dentro de cuyas excelencias la incluía a ella, era frecuente que acabara aludiendo, por contraste, a los agobios de la ciudad y entre ellos citaba siempre el del teléfono, aunque también decía que se había convertido en un elemento imprescindible para resolver cualquier asunto y que en eso precisamente residía su mayor tormento, en que era un arma de dos filos. No, no era posible, tenía que tener teléfono, lo que pasa es que tal vez no viniera a su nombre. Volvió a repasar despacio aquellos dieciséis apellidos y se detenía pensativa en cada uno de ellos como si quisiera adivinar a cuál corresponderían las siete cifras que necesitaba aprenderse y marcar en la ruedecita como contraseña o conjuro para volver a oír aquella voz inconfundible, más precisa que el pan y la sal, más que el aire, sustento fundamental, aquella voz sin duda alborozada de sorpresa al reconocer la suya, su voz diciendo «Luisa», «guapa», «no te apures», diciendo «te quiero», «yo lo arreglaré todo», diciendo «mi flor silvestre», «me gustas», diciendo «pero no seas calamidad, mujer», era grave, tierna, burlona, la estaba empezando a olvidar, se estaba ahogando sin ella. Cogió el lápiz y fue copiando aquellas dieciséis cifras con toda claridad en la hoja del bloc, unas debajo de otras. Luego cerró la guía, bebió otro sorbo de vino y se levantó con el papelito en la mano. Había que tener paciencia: probaría aquellos teléfonos uno por uno.

En el primero se puso una voz de mujer. Era una mujer joven y el corazón le dio un vuelco.
—Por favor, ¿vive ahí Gonzalo Marín?
Lo había dicho muy bajo, con inseguridad.
—¿Cómo dice?
—Gonzalo Marín.
—No, no, ¿qué número marca?
—No me acuerdo bien... perdone, me debo haber confundido.
Colgó y tachó el primer número. Se alegraba de que no fuera allí. Le quedaban quince. Marcó el siguiente y llevaban sonando tres llamadas cuando sintió una presencia a sus espaldas y se volvió con sobresalto.
—Sí, diga —estaba diciendo en ese momento, al otro lado del hilo, una voz de hombre que, desde luego, no era la que quería oír.
Colgó sin contestar. Diego estaba de pie frente a ella con una bata de seda sobre el pijama.
—Buenos días. ¿Qué pasa? ¿Quién llamaba?
Tenía un gesto torvo y preocupado, pero sobre todo le pareció que no la miraba con solicitud ni amistad sino en función del uniforme azul que llevaba puesto. Casi diría que con cierta desconfianza.
—Nadie. Estaba yo llamando para un recado mío. Pero estaban comunicando.
Diego no dijo nada y se sentó en el sitio que ella acababa de abandonar. Apartó la guía de teléfonos con el codo y se frotó los ojos; parecía cansadísimo. Luisa se acercó, cogió el sobre con viveza y se lo metió en el bolsillo. Notó que él la miraba.
—¿Quiere café o algo? —preguntó—. Hay café recién hecho.
—¿Café? Sí, bueno, ponme una taza de café. ¿No ha llamado nadie?
Luisa arrancó la hoja del bloc y se la trajo a la mesa.

—Este señor —dijo—. Preguntaba por la señorita Gloria.

Se había tranquilizado completamente y procuraba que su voz sonara como la de una perfecta servidora de casa fina, exenta de matices. Diego miró el papel y su rostro se ensombreció.

—¿A qué hora ha llamado? —preguntó.

—Hace poco. Se me olvidó preguntarle si era urgente, no sabía si despertarles a ustedes o no, como Pura ya se ha ido.

Diego no pareció enterarse del contenido de la última frase. Contestó sólo a la primera.

—No, no era urgente —dijo con cierta sequedad.

Se había acodado en el mármol de la mesa y miraba el nombre escrito en aquel papelito con aire ausente. Luisa entró en el recinto de la cocina y tocó la cafetera que había dejado preparada Pura. Todavía estaba caliente. Sacó la cabeza por la puerta de cristales.

—¿Lo quiere con leche?

—¿Cómo?

—El café, digo. Que si lo quiere solo o con leche.

—Ah, sí, con un poquito de leche.

Calentó la leche, tostó un poco de pan, puso un platito con mantequilla y otro con mermelada, todo con gestos sosegados y armoniosos, como cuando estaba buscando los números en la guía. Luego lo dispuso todo sobre una bandeja, le parecía que estaba bien. Ah, la servilleta. Cuando volvió a salir, Diego se había levantado a coger el periódico de encima de la nevera y Luisa vio que había arrastrado al suelo el papelito que dejó Pura. Puso la bandeja sobre la mesa y se agachó a recogerlo.

—Pura dejó esta nota para usted —dijo, tendiéndosela a Diego—. Se ha ido, ¿sabe?

—¿Se ha ido Pura? ¿Cómo no me lo has dicho?

—Se lo he dicho.
—Perdona, no te he oído. ¿Hace mucho?
—Hace como media hora. La señorita Isabel la ha ido a acompañar. ¿Así de café o más?
—Así basta.
Le sirvió la leche. Estaba dispuesta a no decir más que lo preciso y a contestar sólo cuando le preguntaran. Diego terminó de leer la nota y la dejó encima de la bandeja; se manchó un poco con el café derramado.
—Vaya —dijo mirando a Luisa por primera vez con un asomo de cordialidad—, lo siento por ti. Veremos cómo te las arreglas ahora sola.
—Espero que bien —dijo ella con firmeza—. Sobre todo si tienen ustedes un poco de paciencia conmigo.
Estaba de pie junto a la mesa. Diego mantuvo la taza en suspenso y se miraron a la cara. Él fue el primero en bajar los ojos.
—La que más tendrá que tener paciencia serás tú, mujer —dijo con una sonrisa ligeramente amarga—. Por cierto, ¿qué tal has dormido? ¿Se pasó el mareo?
—Sí, muchas gracias, no era nada. Del cansancio. Esta mañana ya he trabajado normalmente.
—¿Has conocido a mi hija?
—Sí, señor, y a su hijo también.
—¿A mi hijo? ¿Ha venido?
En la voz de Diego había una súbita alteración. Luisa se dio cuenta de que no podía seguir manteniendo una total indiferencia ante aquel gesto crispado, a la expectativa de su contestación.
—Sí, vino antes. Está durmiendo en el despacho. Me parece que venía un poco malo.
—¡Vaya por Dios! —murmuró Diego.
Bajó los párpados y se concentró en la tarea de untar el pan con mantequilla. Tenía ojeras. Parecía más viejo que anoche.

—La señorita Isabel —explicó Luisa— ha dicho que es mejor que no entre usted en el despacho, que le deje dormir.

—No, no, si no pienso entrar. ¿Sabes si venía a verme a mí?

Llamaban otra vez al teléfono.

—No le puedo decir. ¿Me pongo?

Diego se había levantado.

—No, deja, ya voy yo.

Luisa se metió en su cuarto y volvió a guardar la carta en las profundidades de la maleta. A través de la puerta abierta oía la conversación de Diego y estaba pendiente de ella sin querer.

—...Pues mira, si no te importa, vuelve a llamar que paso la clavija al dormitorio... No, no, si ya estaba medio despierta... ¿Cómo?... No, por favor, qué cosas tienes, yo enfadarme, ¿por qué?, me vine simplemente porque me aburría de muerte... Eso es absurdo, Pancho, completamente absurdo... No tengo ganas de discutir... Pues nada, hijo, habla con ella, ¿no te digo que hables con ella?, es cosa suya al fin y al cabo... No, perdona, fue una simple opinión, ¿o es que tampoco voy a poder dar mi opinión?... Sí, y lo repito, ese papel a ella no le va y es una vulgaridad, como todo el guión, pero allá vosotros... Y a mí qué me importa que esté Pablo ahí, está hecho con los pies y no tiene imaginación ni gracia ni nada... No, no me creo más que nadie, pero para eso no hace falta entender del oficio, basta con tener un poco de sensibilidad... que no, hombre, que no, si no tengo interés ninguno en hablar con él... Eso mismo, tú lo has dicho... Bueno, ya está bien, Pancho... ahora paso la clavija, adiós.

Luisa se sentó encima de la cama. Empezaba a tener un poco de hambre. ¿Cuándo se comería en esta casa? Pura le había dicho que pocas veces se ponía la mesa en plan formal, menos cuando venía gente alguna noche, que entonces solían mandar la cena de algún restaurante bueno y alquilaban los camareros para servirla y todo. Pero, aunque cada cual acostumbrase a comer cuando le diera la gana, tampoco le parecía bien calentarse aquel asado con cebolletas y ponerse a comerlo allí en la misma mesa donde estaba desayunando este señor de la cara enfadada que no parecía ni hermano del que le trajo la maleta anoche. Mejor sería esperar a que volviera Isabel y preguntárselo, aquélla parecía más equilibrada que ninguno. El vaso de vino le había sentado bien y se sentía ligera y desligada de todo, como flotando. No pudo evitar, sin embargo, que el corazón le diera un pequeño vuelco cuando oyó sonar inesperadamente un timbre, que además no era el de la calle, sino que hacía «rrrrru», así un poco más ronco, como Pura se lo había descrito. Salió con paso decidido, por fin iba a conocer a la señora. Vio que Diego había vuelto a su desayuno pero que hacía ademán de levantarse.

—Debe de ser la señora que llama, ¿no? —le preguntó.

—Sí. ¿Prefieres que entre yo a explicarle que se ha ido Pura?

Había cierto titubeo en su mirada, como si estuviera pendiente de la decisión de ella.

—No hace falta —dijo Luisa—, yo se lo puedo decir. Termine de desayunar tranquilo.

Diego miró a la chica nueva con un fulgor de aprobación. Era guapa y tenía personalidad, seguro que los aguantaba poco tiempo. De repente se acordó de su nombre y le gustó podérselo decir:

—Muy bien, Luisa, como quieras. Es la última habitación del pasillo a la derecha.

—Sí, ya lo sé —dijo ella.

—¿De verdad que no quieres que te acompañe?

—No. ¿Para qué?

—Lo decía porque como todavía no te conoce.
—Pues por eso, así me conocerá.
Antes de salir cogió la hojita del bloc donde había apuntado el recado para ella. Enfiló el pasillo. Las piernas le temblaban un poco.

# Nueve

—No, mira, Pablo, perdona que te lo diga. Esa chica no se aclara ni hay manera de saber a lo que juega. Tampoco vamos a estar pendientes de sus humores porque ni tenemos tiempo ni vale la pena. Sólo faltaba que la tuviéramos que estar bailando el agua ahora. Que diga sí o no de una puñetera vez.

Pablo Valladares empezó a mesarse el pelo, como siempre que se ponía algo nervioso. Estaba sentado en una butaca de cuero negro en forma de hamaca, de esas que tienen los brazos niquelados, y observaba con malestar creciente las idas y venidas de Pancho Quintana paseándose airadamente por el gran living de su casa de Somosaguas. Entraba un sol radiante por los ventanales.

—No te pongas así tampoco, hombre. Ya verás cómo esta tarde nos contesta seguro.

—Sí, también decías que nos iba a contestar anoche, que en cuanto se lo ofreciéramos se iba a alegrar tánto y cuánto, y ya viste.

—Bueno, anoche porque se liaron un poco las cosas, cuando hay tanta gente ya se sabe que no se puede tratar de nada.

—Si no fue la gente, fue que no sé qué diablos tenía que pintar el Diego Alvar allí a la puerta del cine, que a mí me cae como una urticaria, ni quién le dijo que se viniera con nosotros.

—Hombre, se fue pronto.

—Sí, pero lo estropeó todo, luego ya empezó ella en seguida a ponerle peros al papel, que al principio, acuérdate, le parecía una maravilla.

—No sé, una maravilla quizá tampoco. Lleva sin trabajar bastante tiempo, ha tenido mala suerte, y posiblemente esperaba otra cosa. Además, tú le explicaste su papel con mucha rudeza, sobre todo cuando estaba él delante, a veces eres muy bruto.

—Pues sí, soy como soy. Pero a qué vienen tantas exigencias y tantos remilgos. O acepta hacer una escena de cama o no. Son habas contadas. Y sobre todo, que no se meta él a dar opiniones que no le ha pedido nadie. No hay cosa peor que un escritor frustrado; te lo he dicho siempre, no quiero tratos con gente así.

—Pero, bueno, tú tranquilo, si con él no vas a tener tratos. Lo de anoche fue el típico follón de los sábados, tampoco tuvo la culpa sólo él, todos teníamos copas y luego que en casa de Vicente siempre acaban las cosas igual. Pero esta noche en Cuenca hablo yo con ella y la acabo de convencer.

—A saber si querrá venir a Cuenca. La veo yo muy metida con el tío ése. Ésos, desde luego, vienen a las cinco, si está aquí bien, y si no peor para ella. A comer ya estás viendo que no ha aparecido.

—Ahora la vuelvo a llamar yo.

Pancho se acercó a una mesita llena de botellas y se sirvió un Martini con hielo. Era corpulento, llevaba cazadora de ante y tenía el pelo canoso y abundante, un poco largo, bien cuidado. Bebió un sorbo y se quedó con el vaso en la mano cerca del ventanal mirando los reflejos del sol en el líquido rojo.

—Si además me canso de decirte que casi prefiero que diga que no, que me parece completamente vulgar. Otra cosa es que a ti te guste como tía, que eso es aparte.

Pablo se levantó y se llegó también a la mesita de las bebidas.

—Bueno, perdona —dijo un poco cortante—, el que va a dirigir la película soy yo, y te digo que Gloria da ese papel como nadie, por eso insisto, aparte de que me guste o no.

Pancho se volvió. Tenía una sonrisa burlona.

—Pero venga ya, por favor, Pablo, si ese papel lo hace cualquiera, todos los problemas de la película fueron los de encontrar actriz para esa escena. Que llevo producidas muchas películas, oye, rico.

Pues cuando te lo dije, Gloria te pareció de perlas, ni más ni menos.

—Me pareció que daba igual ella que otra y que tú la preferías a ella por las razones que sea, que eso allá tú. Pero siempre y cuando que no se ponga en plan de Mónica Vitti y el otro de Antonioni. Porque además, ¿en qué están? ¿Son matrimonio o qué?, nunca se entiende.

—Viven juntos, pero cada cual hace su vida. Yo creo que han encontrado un sistema de relación bastante inteligente, ya ves.

—¿Es lo que te dice ella?

Pablo Valladares adoptó un aire ofendido.

—Lo veo yo, Pancho, tampoco me creas tan imbécil. Y luego que conozco a Diego, y es un tipo muy abierto y muy listo, digas tú lo que quieras. En ella ha influido mucho pero para bien, la ha estimulado a estudiar y la ha hecho más exigente. Es muy crítico. Ha cambiado Gloria.

—Mira, no sé si habrá cambiado o no. Pero yo te digo que de esas relaciones inteligentes no me fío nada, que soy pájaro viejo. Anoche al Diego le dio un ataque de celos de lo más ibérico. Y ahora, cuando he hablado con él por teléfono, igual. Le molesta que se le meta la mujer con otro en la cama y se acabó.

—¿Tú crees? Pues ella me decía anoche mismo que nunca se piden cuentas uno a otro. La llevé a casa a las seis de la mañana.

—Ya. No seas ingenuo, por Dios, eso es un paripé. Si lo que no se puede es estar jugando al mismo tiempo a la bohemia y al dulce encanto de la burguesía, son

mezclas que no se digieren por bien que se hagan. Aparte de que ellos los pobres la hacen muy mal.
Entró una chica a decir que la comida estaba servida.
—Quite usted un plato —dijo Pancho—, vamos a ser dos. Anda, ven a comer, ¿qué haces por fin, la llamas primero o cuando acabemos?
—Ahora. Y que se venga rápido.
Pancho echó a andar hacia la puerta del fondo.
—Oye, que en Cuenca hacemos noche, ¿eh? —advirtió antes de salir—. Y déjale claro que venga ella solita.
—Naturalmente, qué cosas tienes.
—Por si acaso. Anda, y no te entretengas mucho que son las tres menos cuarto.

La habitación estaba en penumbra, pero, entrando del pasillo, se distinguían suficientemente los contornos de los muebles. Luisa sorteó una butaca y se detuvo ante la puerta corredera de la izquierda que estaba cerrada. A través de los cristales esmerilados se filtraba un resplandor de luz eléctrica. Llamó con los nudillos.
—¿Se puede? —preguntó bastante alto.
—¿Quién es? —contestó desde dentro una voz musical y afectada.
—La chica nueva.
—Ah, sí, adelante.
Empujó las puertas que se deslizaban muy suavecito por los rieles haciendo un ruido tenue y se quedó parada en el umbral de otra habitación más grande que ninguna de la casa con las paredes tapizadas de tela de flores a juego con el rosa de la moqueta. La primera impresión que daba era la de que había mucho espacio libre, a pesar de que, por otra parte, reinaba un evidente desorden. Se amontonaban por el suelo muchos

almohadones grandes y de colores vivos sin que pudiera decirse si aquel era o no su sitio, y los muebles, todos muy parecidos entre sí y exageradamente bajos, tenían objetos y ropas por encima. A la derecha estaban las camas, muy bajas también, separadas por una mesa negra totalmente repleta de cosas: frascos, libros, revistas, el teléfono, ceniceros, cajas, lámparas. Una de las camas aparecía deshecha y desde la otra, cubierta con una piel blanca de oso, la miraba con curiosidad aquella señora apenas entrevista de madrugada, con los bucles color caoba que entonces traía recogidos en lo alto de la cabeza cayéndole en desorden ahora sobre los hombros que un camisón azul primoroso dejaba al descubierto, difuminada e indecisa toda su silueta a la luz azulada de la lámpara, como una escena de cine en technicolor. Todo en la estancia tenía un toque peculiar de lujo y asimetría, de irrealidad. Los olores, los colores y las distancias eran percibidos al unísono por los sentidos de Luisa con extrañeza, delicia y fascinación, como algo muy concreto e inmediato pero insólito al mismo tiempo, un brusco asalto a la sensualidad. Se sorprendió pensando con una vehemencia imprevista que daría cualquier cosa por dormir en una habitación así, aunque sólo fuera una noche, llamar desde aquella cama a la calle de Maudes para escuchar cómo una voz de hombre le decía: «No te duermas, que en seguida voy a verte», y esperarle despierta en esa misma postura con los brazos desnudos agarrándose las rodillas que formaban una montañita debajo de la manta de piel, con el mismo gesto lánguido, con un camisón idéntico, con igual perfume, con el pelo suelto por los hombros de la misma manera.

—Pero pasa, mujer, no te quedes ahí.

—Con su permiso.

Los pasos se hundían sobre la moqueta gruesa. Se quedó

de pie, a pocos pasos de la cama, con los brazos colgando a lo largo del cuerpo por los flancos del uniforme azul que le estaba ancho, dejándose observar de cerca por aquella mujer acostada.

—De manera que tú eres la nueva chica.

—Sí, señorita, para servirla.

Su padre le había dicho que nunca bajara los ojos delante de la gente, a Gonzalo es lo que más le había llamado la atención de ella desde que se vieron la primera tarde en aquel bar de Manzanares, le dijo que ninguna mujer le había mirado así, que no había descaro ni insolencia en sus ojos sino simplemente luz, una luz que penetraba sin miedo hasta los rincones más oscuros, ¡qué cosas tan bonitas le dijo ya aquella primera tarde! No podía dejar de pensar en él mientras aguantaba el examen de esta señora de ojos azules que más bien parecían gustar de ser contemplados que de contemplar. ¿Sería así la mirada de aquellas «muñecas de plástico» de que él estaba rodeado en la ciudad? La verdad es que no le tranquilizaba nada pensar que pudieran ser así y dormir en habitaciones parecidas a ésta.

—Bueno, mujer, ¿por qué me miras tanto?

No se turbó por la pregunta. Prefirió decir la verdad.

—Estaba pensando que es la habitación más bonita que he visto en mi vida.

Gloria sonrió visiblemente halagada.

—Vaya, me alegro que te guste; la he puesto yo. ¿Cómo te llamas?

—Luisa.

—¿Y Pura? La habrás conocido, ¿no?, a la otra chica.

—Sí, me ha estado enseñando muchas cosas de la casa, pero ya se ha ido.

—¿Qué se ha ido? ¿Al pueblo?

—Sí, la señorita Isabel se lo explicará. Había un coche de un pariente suyo que la llevaba esta tarde y no se lo quería perder. Pero lo que usted quiera yo se lo hago. ¿Quiere que le traiga el desayuno?

—No, déjalo, ya me levanto, debe de ser muy tarde.

Luisa miró el Certina con el que Gonzalo le había legado su tiempo, ¿qué haría en este momento en que ella miraba su reloj? ¿Se habría levantado ya? ¿Y de qué cama?

—Son las tres menos cuarto —dijo.

—¡Qué tarde, Dios mío! ¿No ha habido algún recado para mí?

Luisa sacó el papelito del bolsillo del delantal, se acercó un poco más a la cama y se lo tendió.

—Ha llamado ese señor, que estaba en casa de ese otro. Pero han vuelto a telefonear ahora hace un momento y su marido ha cambiado la clavija para acá, me parece que la van a llamar otra vez.

—¿Han hablado con mi marido?

—Sí.

—Ya —dijo Gloria, que seguía mirando la nota—. Me parece importante que sepas tomar bien los recados. ¿Esta letra es tuya?

—Sí, señorita.

—Tienes muy buena letra. A ver si lo haces todo como la letra.

—No sé. Procuraré ir aprendiendo lo que no sepa para que no tenga usted queja.

—Eso espero. ¿Cuántos años tienes?

—Veintiuno cumplo en diciembre.

—Un poco joven. ¿Has servido antes en otras casas?

—No, pero mi tía tiene un bar en el pueblo, y por los veranos, que alquila también habitaciones, soy yo la que la ayudo a atenderlo todo. Y al chalet del señorito Víctor también voy muchas veces cuando le llegan amigos. Le puede preguntar; a su marido ya le ha dado informes de mí.

—Sí, me lo ha dicho. Y que estás conforme con el sueldo. Por las tardes, a no ser que haya algo especial, puedes salir siempre que quieras, y los domingos, por supuesto. Ah, ¿qué tal planchas?

—Corriente. Se me da mejor la cocina, pero ya me esmeraré.

—Bueno, Luisa, pues nada, espero que nos entendamos bien. Me voy a levantar. Luego te llamo para que vengas a arreglar la habitación. ¿Has comido?

—Todavía no. ¿Ustedes comen en casa?

Gloria vaciló.

—No sé, estoy esperando una llamada. Pero no nos esperes, come tu primero, si te parece.

—Pues si no manda nada...

Llamaron al teléfono y Gloria lo cogió con presteza. El camisón le dejaba el pecho casi al descubierto.

—Ah, hola, Pablo guapo, buenos días... Pues bien... Bueno, bien no, algo fastidiada... Por cosas, ya te contaré... Espera.

Retiró el teléfono y miró a Luisa con una sonrisa distante y fría.

—No, Luisa, nada, puedes irte, dile a mi marido que ahora voy.

Luisa echó a andar camino de la puerta.

—No, no, es que le estaba dando un recado a la chica, dime... —oyó que le decía a aquel Pablo Valladares a quien el señorito no parecía tenerle demasiada simpatía.

Corrió con suavidad la puerta de cristales esmerilados y salió al pasillo. Se iba preguntando que cómo era posible que aquella señora no fuera feliz.

# Diez

Jaime abrió los ojos, se incorporó en el diván y se quedó mirando con un gesto de zozobra e incomprensión las paredes del despacho de su padre. Otro sueño sin argumento. Se le desvanecían las imágenes, sólo conservaba la de un caballo blanco y, adherida a ella, la sensación de que tenía que dar a alguien un recado fundamental, cosa de vida o muerte; se aferraba desesperadamente a esa sensación como al único asidero capaz de redimir su memoria que sentía amenazada, balanceándose en el vacío, suspendida de aquel tenue hilo que era como una hebra de telaraña. Llamó en voz alta a Joaquín, aunque no sabía si el mensaje era para él, pero Joaquín no estaba. No, se habían ido todos, le habían dejado solo, también la chica que le acariciaba la cabeza. ¿Dónde? ¿Cómo había sido? Trató de recordar y le salían enredados retazos del sueño (unos árboles y un caballo blanco al que una mujer perseguía) con imágenes de una escena más concreta y cercana que se configuraba, trabajosamente, a fragmentos. Sí, era la buhardilla, había llegado de madrugada allí y en su cama había acostado un chico rubio pálido que se había puesto muy malo, un bajón de tensión, se lo contaron los otros y el relato alteraba sus rostros, unos rostros los conocía y otros no, eran bastantes, emergían de cuerpos echados sobre la alfombra gris, al chico aquel de la tensión baja no lo había visto nunca, tenía un nombre extranjero, Richard o tal vez Peter y los otros se habían asustado porque no le encontraban el pulso y estaba a punto de perder el billete de cierto avión o tren o barco. También estaba allí sentada contra la pared la chica que luego le había acariciado el pelo, aunque eso tal vez era de otra escena, de otro día. Tenían puesto un disco de Georges Moustaki:

*Il y avait un jardin*
*qu'on appellait la terre...*

y a él no le hicieron caso, apenas si le miraron, tuvo que decir muchas veces que tenía abajo un taxi sin pagar, hasta que Joaquín, al cabo de un rato, se acabó enterando, venía de tomarle el pulso al rubio y entonces montó en cólera, una de aquellas cóleras espectaculares de Joaquín y le llamó narciso, egoísta y señorito de mierda, que sólo le gustaba llegar a los sitios para llamar la atención, pero por fin bajó a pagar el taxi, y él tenía náuseas y se fue a vomitar y luego se tumbó en la alfombra sobre las piernas de una chica que le seguía pasando un vaso con ron o tal vez era aguardiente. Sí, la chica, aunque no le llegó a ver la cara, era de esta misma escena, él estaba muy triste y le gustaba escuchar la canción de Moustaki con los ojos cerrados:

*...Il y avait un jardin,*
*une maison, des arbres,*
*avec un lit de mousse*
*pour y faire l'amour,*

notaba que ella le acariciaba el pelo, y le dijo:
—Pero eso ya no sirve, hemos perdido el paraíso, no sirve, son palabras, nada sirve...
Y seguramente se durmió sobre las piernas de aquella chica que ya no estaba cuando se despertó ni había nadie en la habitación porque le habían dejado solo, siempre le dejaban colgando así del hilo de telaraña, con la memoria que le hacía aguas, siempre se despertaba

solo y no sabía a quién tenía que dar los recados urgentes que sólo entendía cuando estaba dormido. Ya, pero, ¿y antes de la buhardilla?... Antes estaba echado con su madre en la cama grande, ella por dentro y él por fuera, con las manos enlazadas, borrachos los dos, acunándose mutuamente con aquella canción remota del verano de Cascaes, una canción de cuna para dormir a Isabel:

*Ferme tes jolis yeux*
*car le bonheur est bref...*

y después se había despertado solo en el cuarto de arriba con la claridad del primer amanecer del otoño que se le venía encima como un fardo insoportable: «Otro otoño, Jaime —había dicho su madre en cierto momento tapándose los ojos—, está entrando otro otoño, es demasiado, no lo voy a poder soportar». Se había despertado con el recuerdo de esta frase en aquella casa que se le caía encima, con la lengua áspera, como de ceniza, y un dolor de cabeza igual que el de ahora, alarmado, herido por los añicos de un sueño confuso, nadando en su estela de incertidumbre y premonición, cuántos mensajes hechos pedazos, cuántas responsabilidades abstrusas e indescifrables encerraban los sueños desde que hemos perdido el edén de la infancia, ya nunca dormía bien.
Estas paredes estaban forradas de madera, no podía forzarse a recordar nada más. Cerró los ojos otra vez porque todo le daba vueltas, así con los ojos cerrados encontraba refugio en una lejana quietud, un ruido de olas a través de la ventana y un cielo azul de verano que luego se puso plomizo, él mismo acunaba a la niña con aquella canción que había aprendido de su madre, un agosto en Cascaes:

*Ferme tes jolis yeux*
*car tout n'est que mensonge,*
*le bonheur n'est qu'un songe.*
*Ferme tes jolis yeux...*

Y la niña —«a menina Isabel»— cerraba los ojos en su cuna, y el abuelo Sousa comentaba orgulloso lo inteligente que era él y lo gracioso —«Sembra un pãe pequeninho»—, papá no estaba aquel verano y la niña sólo se dormía cuando le cantaban aquella canción, tenía tres años y él cinco. Y una tarde de mucho aire que amenazaba tormenta había ido con su madre de paseo a lo largo de los acantilados y terminaron cogidos de la mano viendo romper el mar que entraba y salía fragorosamente por los agujeros oscuros de la «Boca do inferno», y él se puso muy excitado mirando cómo las olas se revolvían allá abajo, no podía dejar de inclinarse, le daba vértigo, pero le atraía, su madre le agarraba muy fuerte de la mano y el aire les revolvía las ropas. «Nao te desbruçes», gritaba ella histéricamente tirando con vehemencia de él hacia atrás, lastimándole la mano, pero no podía sujetarle ni contener su deseo de asomarse, de mirar los remolinos del mar embravecido, tiró una flor encarnada que llevaba en la mano y la vio desaparecer fugazmente en las profundidades rematadas por crestas de espuma salvaje; la flor la había cogido antes en el jardín de un castillo alto y muy raro encaramado cerca de las nubes y coloreado de sol, aquello era Cintra, el paraíso, y luego el sol se había nublado y bajaron a los acantilados, a la «Boca do inferno», al tirar aquella flor roja al mar se había despedido del paraíso; cuántas veces había salido luego esta escena en sus sueños, la mano infantil arrojando la flor a las olas rotas terribles, tal vez de aquellas profundidades emergían tantos recados incomprensibles, es muy difícil separar los sueños, limpiarlos de ganga y adherencias, se mezclaban con la realidad, descoyuntándose a lo largo de oscuros pasadizos interiores.

Algo crujió en la habitación de paredes de madera. Ahora se acordaba perfectamente de que estaba en casa de su padre y de que la mujer que perseguía al caballo blanco de su último sueño era Agustina Sousa con el traje malva del retrato. Y el recado que se había coagulado con aguda intensidad durante la sucesión de ese argumento, no tenía por destinatario a Joaquín, sino a Isabel. ¿Pero, qué recado era? En los instantes fugacísimos que precedieron al pleno despertar, había creído entender no sólo aquel significado sino el de todos los jeroglíficos propuestos a lo largo de los siglos al entendimiento de cuantos hombres se habían afanado por desvelar la verdad, estaba seguro de haber tocado una zona fronteriza entre el extremo misterio y la absoluta luz, donde tan fácil era perder pie como ingresar en un definitivo tabernáculo. Ahora, en cambio, sólo le venía a las mientes el recuerdo de un altercado irracional con su hermana, se veía perseguido e insultado por ella y conducido luego a esta cama, ni Agustina ni el caballo estaban ya en ninguna parte, se esfumaban, nube malva el vestido flotante y nieve fundida al sol la crin y grupa blancas. Dio la luz y miró la hora, eran las siete y media. Necesitaba lavarse, tomar un café con aspirina, comer algo. Y luego hablar con Isabel, pedirle perdón.

Cuando salió del baño al pasillo le sorprendió la ausencia total de rumores en la casa. Entró en el cuarto de Isabel, en la cocina. Nadie. La cocina estaba limpia y recogida, como si jamás nadie hubiera comido en ella. El cuarto de Pura tenía la puerta abierta y también estaba vacío y silencioso. Se acordó de que era domingo y también de que había prometido vagamente a su madre que comería con ella.

Se preparó una buena merienda y tomó dos aspirinas con el té. No recordaba haber quedado con su madre en nada firme, fue una propuesta formulada al final, cuando ella ya estaba medio dormida, y antes, además, él le había sugerido con insistencia que fuera a pasar la tarde del domingo a la finca de Víctor, idea que ella había acogido con aquel gesto soñador que podía interpretarse como una aquiescencia tácita. Tenía ganas de hablar con Víctor, la confesión de Agustina le daba valor para pedirle ayuda y consejo, era una vía mucho más eficaz que las de Isabel o su padre. Siempre que acudía a ellos se enredaban en altercados presididos por los mutuos remordimientos y todo se resolvía en reproches e incomprensiones, agravados por el estado de agresividad en que solía pisar él esta casa en plan de juez que pide cuentas a sus moradores. Tenía razón Joaquín, necesitaba librarse del morbo familiar.

Después de merendar con buen apetito notó que se encontraba mejor y que las aspirinas empezaban a hacerle efecto. La exaltación de por la mañana había dado paso a una dulce y relajada fatiga. Se encontraba a gusto en aquella media luz de la cocina ordenada y silenciosa, acodado en la mesa de mármol frente a los restos de la merienda y comprendió que había sido una suerte no encontrarse con nadie cuando aún se debatía entre aquellas nieblas del despertar, agarradas tenazmente a su pensar como a los picos de una cumbre. Ahora ya la imagen del caballo blanco le resultaba algo poético, lejano y plácido, se imaginaba a su madre sentada en un prado con Víctor mientras algún caballo pastaba tal vez a pocos pasos de ellos sin más sentido que el de embellecer el fondo de aquel cuadro idílico y, progresivamente liberado de las garras del sueño, se entregaba al placer de comprobar que la cabeza le dolía menos, que el té le había sentado bien, que la sangre le corría por las venas armoniosamente, sin turbulencias, y que estaba a gusto allí, quieto, sin decidir nada. Era una debilidad gozosa y sensual parecida a la experimentada en las convalecencias infantiles, una especie de desvalimiento tramposo de niño protegido y encantador. Tenía ganas de que volvieran su padre o Isabel; incluso a Gloria, si aparecía, estaba dispuesto a tratarla con buenos modales.

En el dormitorio de su padre no había entrado y pensó que tal vez él, Gloria o los dos juntos pudieran estar allí. Se levantó a descolgar el teléfono, hizo la prueba de aplicárselo al oído y comprobó que no sonaba. La clavija la habían pasado al dormitorio; efectivamente, estaban allí. Decidió acercarse a explorar el terreno; si veía que no resultaba inoportuno, entraría.

Salió al pasillo, avanzó en aquella dirección con pasos cautelosos y empujó sin ruido la puerta de la habitación. La salita de la entrada estaba iluminada por el resplandor todavía no tenue del atardecer y por la luz más violenta del anuncio luminoso de enfrente que se colaba a través del visillo en rachas intermitentes amarillas y azules. La puerta corredera que comunicaba con el dormitorio estaba entreabierta y dentro tenían encendida una lámpara de luz baja. Se acercó con sigilo y vio a una mujer que no conocía sentada de espaldas sobre la cama de Gloria. Se detuvo. La oyó que estaba hablando por teléfono en voz apagada.

—No, no, Marín... ¿no es así?... sí, a ese número llamaba... es que estoy probando en varios teléfonos de esa casa... perdone.

Había colgado y ahora se volvía de perfil y tachaba algo en un papelito. Llevaba un jersey rojo y el pelo castaño bastante largo. Jaime contuvo la respiración y trató de recordar dónde la había visto antes. Puede que fuera alguna amiga de Isabel o de Gloria, pero, ¿qué hacía aquí sola? ¿Y por qué, de repente, levantaba los ojos y le miraba asustada mientras tapaba el papelito con un almohadón?

—Hola —dijo Jaime—. Perdona. ¿Has visto por aquí a Gloria o a alguien?

La chica se levantó y vino hacia la puerta bastante turbada.

—No, no, han salido, se han ido todos. Yo es que estaba terminando de recoger aquí. Pase si quiere. Ya me iba.

Estaba a su lado como queriendo salir.

—Pero no, quédate... ¿irte a dónde?

—No sé, a la cocina..., o a lo mejor salgo un poco antes de la hora de la cena.

—¿Es que vives aquí?

—Sí, vine anoche de Matalpino. Soy la nueva chica.

Parecía haberse tranquilizado un poco y le miraba ahora con unos ojos algo acobardados, pero de mirada diáfana.

—Ah, ya, la nueva chica. Yo soy hermano de Isabel. ¿Estabas antes cuando vine?

—Sí, le vi un momento, nos tropezamos en el pasillo. ¿Ha descansado bien?

—Sí, sí, muy bien.

Le dejó paso, la siguió hasta la cocina y vio que se ponía en seguida a recoger los restos de su merienda. Llegó a su lado y le puso la mano sobre el brazo.

—Pero deja eso, mujer, ya lo recogeré yo. ¿No ibas a salir?

—Da igual, no corre prisa —dijo ella con los ojos bajos, mientras ponía las cosas en la bandeja.

Él se la quitó de las manos.

—Siéntate un rato entonces, si no tienes prisa —le dijo.

Se llevó la bandeja y vino con un trapo para limpiar la mesa de papeles y de migas. Luisa se había sentado en el extremo del banco con un gesto de abandono y desaliento y estaba inmóvil mirando el mármol que iba limpiando él; le dejaba hacer aquella tarea sin intervenir ni decir una palabra. De repente Jaime había reconocido en aquella criadita de pueblo a la chica que se había inclinado sobre su frente antes de que se durmiera y se sintió lleno de ternura y serenidad, olvidado de sí mismo, como la noche anterior cuando entró en el cuarto de su madre, como siempre que intuía que alguien le podía necesitar. Se sentó frente a ella.

—¿Qué pasa? ¿Te hacen poco caso aquí? —le preguntó con dulzura.

—No, no, yo estoy bien, no se preocupe —murmuró Luisa, a quien el hecho de despertar interés en alguien por primera vez después de una jornada tan desconcertante le ponía un nudo de emoción en la garganta.

—Con lo buena que tú eres.

Luisa alzó los ojos y le miró esbozando una sonrisa interrogante.

—Sí, muy buena eres, antes me diste un beso, ¿no eras tú la que me dio un beso?

Luisa no consiguió más que hacer un gesto evasivo con los hombros. Apoyó la barbilla contra el pecho y Jaime vio que los labios le temblaban ligeramente. Nada le gustaba tanto como encontrarse en el umbral de una situación propicia, como esta de ahora, a la comunicación con un desconocido que daba muestras de desvalimiento; era un incentivo. La miró intensamente, alargó una mano y la puso sobre aquellas dos más pequeñas enlazadas allí enfrente sobre el mármol y cuyos pulgares se frotaban uno contra otro.

—Me acabo de acordar ahora —dijo—. Perdona que no te diera las gracias, me gustó mucho, pero me encontraba malísimo... Di, ¿qué te pasa? ¿Por qué estás triste? ¿Te ha tratado mal alguien?

Luisa negó varias veces con la cabeza inclinada sobre sus manos protegidas ahora por aquella inesperada caricia. Se mordía la lengua para ver de contener el llanto inminente, pero no sentía la obligación de disculparse ni de rechazar la inesperada compañía de esa persona a quien pocas horas antes ella misma se había sentido impulsada a consolar, le parecía una compensación justa y se abandonaba a la dulzura de su presencia. Jaime se levantó y vino a sentarse junto a ella.

—Anda, dime por qué estás triste. ¿No te gusta estar aquí? ¿Echas de menos el pueblo? Si quieres volver a tu casa yo te llevo, te llevo ahora mismo.

Luisa volvió a mover la cabeza de forma rotunda, con una especie de obstinación irreflexiva e infantil.

—No, no, al pueblo no —murmuró con la voz quebrada.

—Bueno, pues nada, tranquila, si no quieres que te lleve al pueblo nos quedamos aquí. ¿Te molesto?

Luisa volvió a negar con la cabeza y notó que ya no era capaz de retener el llanto. La presión de aquella mano se acentuó ahora y empezó a recorrer delicadamente los dedos de la suya.

—No me cuentes nada si no quieres —decía la voz de Jaime—, pero relájate, por favor, y llora a gusto, que te sentará bien. No es ninguna deshonra llorar, mujer. Yo también lloro muchas veces; de mí no tengas vergüenza, si supieras la noche que he pasado y lo triste que estaba, me quería morir, todo lo veía negro. Y en cambio ahora, ya ves, estoy mucho mejor, son cosas que se pasan. Llora lo que quieras.

Tenía una voz dulce y convincente. Luisa la escuchaba como una música de fondo, al tiempo que las lágrimas corrían por su cara sin que quisiera hacer ya nada por retenerlas. Liberó suavemente sus manos, se sujetó con ellas las sienes y Jaime sólo veía ahora su pelo entre aquellos dedos desnudos de sortijas que ocultaban su perfil como si quisieran defenderlo, el temblor de los hombros frágiles. Al cabo de un rato vio que una de las manos abandonaba su postura y descendía a hurgar en el bolsillo de la falda de donde extrajo un pañuelo arrugado.

—A lo mejor prefieres quedarte sola —dijo.

Ella levantó el rostro con viveza, mientras se llevaba el pañuelo a las narices. Era muy pequeñito.

—No, por favor, no se vaya —dijo ya más serena y con la misma convicción que había puesto en su anteriores negativas.

Jaime se sacó del bolsillo un pañuelo grande un poco manchado de maquillaje, era con el que le había estado limpiando las lágrimas a su madre la noche antes.

—A ver, trae, déjame. ¿No vas a llorar ya más?

—No.

—Pues ven, yo de secar lágrimas entiendo mucho.

Luisa apoyó sobre el mármol la mano cerrada con el pañuelito dentro y se dejó enjugar las mejillas por aquel otro más grande de batista que olía a colonia de limón, en un dócil y grato abandono. Suspiró hondo y se le dilataban las aletas de la nariz con un gozo entre ingenuo y sensual. Jaime comprobó que el llanto había embellecido y limpiado su mirada, donde empezaba a anidar una luz que anunciaba la sonrisa. Pensó, por contraste, en los estragos irreparables del llanto sobre el otro rostro de mujer que este mismo pañuelo había limpiado la noche antes y este recuerdo le ensombreció.

—Gracias —dijo Luisa—. Muchas gracias.

Le estaba mirando con cara de niña buena y el consuelo que se leía en sus ojos pagaba con creces del pequeño esfuerzo que había costado conseguir ese efecto. Jaime volvió a acordarse de su madre, que la noche anterior no había sido capaz de dormirse hasta contagiarle su pena y verlo a él también deprimido, hundido en idénticos pozos de negrura, grutas infernales donde los golpes de mar se tragan el homenaje inútil de cualquier florecilla roja, sacrificio dañino y baldío. Y sin embargo, la pena de esta chica podía ser también intensa, pena de amor tal vez, ¡pero qué distinto! La miraba y veía los ojos de Agustina cercados de arruguitas, enrojecidos, opacos. El pañuelo se detuvo en la comisura de estos otros ojos jóvenes, en el botoncito rosa del lagrimal.

*La primavera del futuro*
*es toda de hojas nuevas para ti*

recitó.

Y Luisa notó que, mirándola, se había puesto triste. Se acordó de su desamparo de por la mañana, sentado allí en el banco del vestíbulo y le pareció un milagro esta intimidad que se había creado entre los dos. Siempre había pensado que a un triste sólo le puede consolar otro triste, pero nunca lo había comprobado de una forma tan clara y emocionante. Ya no sentía la menor turbación frente a él, únicamente le despertaba confianza.

—¡Qué bonito! —dijo pensando en el poema, pero mirando el mechón de pelo rubio oscuro que le caía sobre la frente incitando a la caricia—. ¿Es usted poeta?

Él acariciaba el pañuelo manchado de maquillaje en actitud pensativa. La miró sonriendo un poco distraído.

—¿Poeta? Ah, sí, un poco. Pero esos versos no son míos, ¡qué más quisiera!

—¿Ah, no? ¿Y los de esta mañana?

—¿Cuáles, de esta mañana? ¿Te dije algún verso esta mañana?

—No sé si serían versos, pero por lo menos eran palabras bonitas, cuando le estaba ayudando a acostarse.

Me debía usted confundir con alguien. Con una tal Melibea.

—¿Con Melibea te confundí? ¡Qué divertido! Pues mira, no estaba tan borracho, ya ves.

—¿Quién es? —preguntó Luisa en un arranque súbito.

Pero en seguida se avergonzó de su curiosidad y consideró que su pregunta podía haber sido inoportuna. Bajó la cabeza un poco turbada.

—¿Melibea? La enamorada más grande de todos los tiempos.

Notó que los dedos de él empezaban a acariciarle el pelo y eso aumentó su turbación.

—¿Es guapa? —preguntó de una forma casi inconsciente, por decir algo.

—No sé, yo nunca la he visto, pero creo que se debía parecer bastante a ti. Porque tú seguro que estás enamorada.

Luisa asintió imperceptiblemente y supo que aquel gesto preparaba un cauce para las confidencias más insólitas. Se le agolpaba, de repente, en un embate que le subía del corazón a latirle en las sienes, la urgencia irresistible de vaciar sus cuitas para los oídos de este compañero ocasional que la alentaba con su silencio y, convencida de que nunca se le iba a presentar en la vida otra ocasión como esta, trató de organizar un posible resumen de aquella narración siempre diferida. Tal vez lo mejor sería empezar describiendo el paisaje de la Pedriza del Manzanares, el color que tenían las montañas aquella tarde de julio, el buen humor que les había puesto el vino a ella y a sus amigas, los comentarios que estaban haciendo por lo bajo de aquellos actores y actrices maquillados que entraban y salían a pedir coca-colas y cigarrillos antes de que apareciera Gonzalo por la puerta y se quedara mirándola fijamente. También podía empezar

diciendo simplemente el nombre de él, sin más, como un preámbulo que tirase de lo demás, decir «sí, y él se llama Gonzalo», a ver qué salía luego. O mejor contarle primero que había venido a buscarle a Madrid y el trabajo que le costaba encontrarle y el miedo cada vez que marcaba uno de aquellos números de teléfono, o tratar de explicarle simplemente la grandeza de un sentimiento que antes desconocía, decirle que nunca le habían gustado los chicos ni se le había pasado por la cabeza tener novio ni dejarse engatusar por nadie, que se reía de esas cosas. Pero la misma necesidad de elegir en seguida uno cualquiera entre aquellos comienzos le frenaba la lengua y aumentaba las dificultades que ya había para resumir un relato tan vasto y caudaloso. Si no era capaz de entender ella misma cómo pudo caber material semejante en tres meses escasos, ¿cómo colocarlo bien ahora y organizarlo de manera que las palabras casaran con lo que había pasado? No podía, necesitaría horas y horas, y Jaime tendría prisa. Notaba que era una coyuntura única y que a cada latido de su corazón la estaba desaprovechando más y más. No tenía ni noción del tiempo que había pasado cuando los dedos de él dejaron de acariciarle el pelo, pero lo tuvo inmediatamente por una señal; era como haber estado viviendo dentro de una ensoñación y volver a mirar el mundo cara a cara. Consultó el reloj, como siempre que se despertaba.
—Las ocho y media ya. ¡Qué tarde se ha hecho! —dijo.
Tenía la vaga esperanza de que él desmintiera su comentario, como hacía a veces Gonzalo cuando se habían alejado del pueblo y ella decía que había que volver, deseó oírle decir que no, que el tiempo es una invención y que no existe, que el reloj no se debe mirar.
—Sí, es verdad que se ha hecho un poco tarde —le oyó decir, en cambio—. ¿Te encuentras un poco mejor?

—Sí, mucho mejor —dijo con un tono normal.
—¿No ibas a salir un rato?
—No, ya no me apetece. Además, me alegro mucho de no haber salido. He estado aquí muy a gusto hablando con usted.
Se dio cuenta de que ella misma precipitaba el cumplimiento de sus presagios al comprobar que acababa de hablar en pasado como si, efectivamente, todo hubiera sido un sueño. Se le convertía en polvo entre los dedos aquella carga de riqueza que acababa de tocar. Jaime se levantó y le dio un beso en la frente.
—No sabes cuánto me gusta haberte servido para algo —dijo—. Tenía una deuda contigo desde esta mañana.
Luisa le miró a los ojos en un último intento desesperado de recuperar la ocasión para contar su historia.
—¿Se tiene usted que ir?
—Sí, me voy a ir yendo. He quedado con un amigo a las nueve y mi hermana parece que no vuelve. ¿Sabes dónde ha ido?
—No, comió tarde, casi no la he visto. Pero me parece que salió con su padre.
—Bueno, pues adiós, guapa, ya nos veremos otro día. ¿Cómo te llamas?
—Ah... Luisa, creí que se lo había dicho a usted anteriormente.
—No. Pero te va mejor Melibea. Y voy a pedirte un favor.
—Usted dirá.
—Que no me llames de usted. Usted no significa nada. Me llamo Jaime, ¿vale?
Luisa sonrió débilmente. Aquella petición le parecía ahora un detalle que daba igual y sobre todo que venía a destiempo.
—Bueno, veré si puedo —dijo con voz átona.

—Pues claro que puedes, mujer, se puede todo. Igual que antes no podías sonreír y ahora sí.

Ya había llegado cerca de la puerta.

—Ah, se me olvidaba —advirtió con una expresión cómica y el dedo índice en alto—, no te dejes comer la moral por ningún bicho de los de esta casa, ¿prometido?

—Sí. Pero no son bichos, son muy buenos, y a mí no me comen la moral.

—Bueno, por si acaso. Ni ellos ni nadie te la tiene que comer. Toma —añadió dando unos pasos hacia ella—, te regalo mi pañuelo. Aunque preferiría que no lo volvieras a necesitar.

Le tendió el pañuelo con el que le había estado secando las lágrimas y, al dárselo, retuvo unos momentos la mano de ella entre las suyas.

—Y feliz otoño, Melibea. ¿Sabes que hoy entra el otoño?

—Sí, esta mañana me he acordado que ayer era veinte. Me gusta mucho el otoño, en mi pueblo se pone todo muy bonito.

—Ya iremos un día, ¿o no quieres volver nunca allí?

—Sí, sí...

—Pues nada, hasta otro día, Melibea.

—Adiós, Jaime.

Se quedó con el pañuelo entre las manos, mirando absorta durante un rato la puerta por donde había desaparecido. En la cocina ya había poca luz.

# Once

«La situación de empezar era siempre la misma. Rebuscar esforzadamente en el interior de uno mismo, después de debatirse en una yerma sábana de hastío y decir con una especie de reiterada compunción: "Hay que hacer algo, hay que hacer algo por salir". Decirlo así no significaba ningún remedio propiamente eficaz sino más bien un simulacro, pero se tenía la vaga impresión de haber entrado, como si dijéramos, en tratos con el conductor de un vehículo alquilado que iba de llevarnos de viaje a algún lugar. No nos habíamos sentado aún ni podíamos discernir la relación entre la distancia a recorrer y el estado de conservación del vehículo ni imaginar el paraje en que tendría lugar la transformación confusamente anhelada, todo se reducía al trato con ese fantasmal y azaroso conductor que había de sacarnos de la ciénaga. Un trato más, gestión, plazo o convenio a cuyo pie estampar nuestra firma, como tantos engranajes de palabras estáticas que nos sustituyen, nos condenan a pasividad y registran sobre el papel el paso de los días y las noches, ocultando su presencia real a nuestros ojos. Porque ya noche y día sólo son palabras escritas en papeles que no albergan grillos ni emiten rocío ni despliegan murciélagos o alondras mensajeros del miedo o la esperanza, son meras transacciones burocráticas. Se levanta el sol, y se hunde sin que lo miren nuestros ojos, nos escamotea su tránsito, y la urgencia de hacer algo, al no verse fecundada por ese imprescindible calor, se vierte por sumideros interiores, se ramifica en bilis, en náusea, en disnea, en pinchazos y otras malas pasadas de las ignotas vísceras, engorrosos y desconocidos vecinos en subarriendo. Llegamos a interpretar tales síntomas como supervivencia de remotas creencias religiosas: “Tengo que hacer algo, algo por salir”, musitamos como un sucedáneo de oración, con esa alarma obstinada y baldía que es lo último que queda de la fe; tomamos ese texto por sagrado, imaginamos que algún vehículo vendrá para llevarnos a tierras bañadas por el sol, a alguno de esos países que recorremos con rostro opaco y en cuyos museos se guardan estatuillas talladas por hombres remotos que divinizaron el sol y lo llamaron Ra, estatuillas con ojos de jade que nos miran aún desafiantes. Relegamos al fondo de nuestros saberes la visita al museo y el nombre del dios, pero Ra nos sigue trabajando las entrañas, actuando sobre ese páncreas de difícil localización que alguna vez vimos coloreado de azul en libros escolares y al que en vano intentamos aplacar con oleadas de whisky, el dios de los egipcios opera todavía sobre el páncreas y contesta a nuestro desafío con el suyo. Habremos construido cientos de nuevas guaridas, millones de complejos laberintos para hurgarle al tiempo en los sobacos, pero él continúa impertérrito sacando a relucir todos los días sobre los altos muros de cemento el redondel de oro sempiterno, desprecia nuestros convenios de papel, nuestros edificios, y da por descontada la victoria, derriba a los osados con los perezosos por traidores al páncreas, por traidores a Ra.»

Diego se quedó con el folio en la mano y buscó a ver si entre los otros papeles que tenía esparcidos sobre la colcha aparecía alguna continuación de aquella parrafada que debía haber nacido al calor de un estado de ánimo bastante parecido al que le invadía en esta turbia madrugada del lunes, pero no encontró nada que pudiera atribuírsele, ni siquiera forzando la conjetura, como posible continuación. No se acordaba de cuando lo había escrito, pero a juzgar por la calidad del papel, parecida a la de otros que tenía guardados con fecha al pie, calculó que debía ser del otoño en que Víctor se fue a vivir a la sierra, poco antes de mudarse ellos a esta casa. Solía él recluirse aquel otoño en un cuartito de arriba del chalet y escribía cualquier cosa nervioso, de un tirón, pendiente de los pasos de Agustina por la escalera y de sus apariciones en el quicio de la puerta. Volvió a leerlo, le gustaba, como otros que había ido seleccionando, pero se trataba de fragmentos aislados y lo difícil estaba en la vertebración de unos con otros, en la estructura. Se confesó, mientras lo doblaba, que la relectura de aquellas palabras antiguas le producía una paralizante delectación y que volver a guardar un folio releído era como volver a ungir un cadáver con bálsamos usuales para que no se pudriera del todo, mero expediente de emergencia.

Apartó las carpetas y las depositó sobre la alfombra. Se apagaban ahora los fuegos fatuos de aquella revisión inerte y sólo sentía el cansancio que las horas de insomnio habían arrastrado y depositado en el recinto ignorado de su páncreas como en un basurero. Comprendió que debía haberse levantado, que la postura cómoda e indolente en que había emprendido la labor, había ya viciado de raíz su posible eficacia; ayer mismo se lo había dicho Víctor: «Y sobre todo, nunca te pongas a trabajar en decúbito supino», le resultaba a veces dura de soportar la implacable lucidez con que penetraba sus fallos y le molestaba rendirse a la evidencia de que seguía vinculado al juicio de aquel amigo a quien durante largas etapas de su vida había hecho exhibición de despreciar, el único que le conocía a fondo y le devolvía una referencia certera de su imagen. Le dolía la espalda de estar sentado tanto rato en la cama, apartó los almohadones de que se había rodeado para estar más cómodo y los lanzó contra el suelo. Luego se hundió en la cama y

apagó la luz, aunque sabía que el despertador estaba a punto de sonar y que ya no le convenía volver a amodorrarse. Otra vez era lunes, pero si llegaba pronto al despacho, tenía tres horas hasta las doce para pasar a limpio los papeles seleccionados, el sillón de su despacho no invitaba al decúbito supino, hasta las doce no tenía la reunión aquella, se tomaría un café doble, estaba decidido a no dar por perdidas las recientes horas de insomnio. Acunado por esta decisión que, aun cuando formulada vagamente, tuvo la virtud de amortiguarle el dolor de espalda, cerró los ojos y se quedó dormido.
Cuando, poco después, sonó el despertador, la claridad del nuevo día revelaba los contornos del cuarto en desorden y evidenciaba simultáneamente un desagradable olor a colilla apagada. Se echó fuera de la cama y se quedó unos momentos sentado con los pies desnudos sobre los almohadones que había tirado al suelo, al tiempo que sus ojos se detenían en la piel de oso que cubría el lecho intacto de Gloria. Que se habían ido a Cuenca a ver los exteriores de la nueva película, que el señor no se preocupase si tardaba, que puede que se quedasen allí a dormir. Aquel recado conciso, dejado a la criadita nueva a última hora del domingo, poco antes de que volviera él a casa nervioso y alterado, rendido de pasear por la ciudad sin ton ni son, había sido la causa de su insomnio. «¿Era conferencia?» «No sé.» «Mujer, también se te podía haber ocurrido preguntárselo.» Salió de la cocina sin preguntarle si había cenado, si había salido, si había echado de menos a Pura, sin decirle si podía acostarse o no; unas torvas y distraídas buenas noches escupidas desde su infierno, sin mirarla siquiera y se había metido en el dormitorio a pasear como tigre enjaulado, a coger un libro detrás de otro, a encender un pitillo detrás de otro, de la misma manera que se sucedían en su mente agitada inútiles proyectos que in-

mediatamente descartaba por otros igualmente inconsistentes, nacidos con el estigma y la tara de la escapatoria: coger el coche y viajar hasta Cuenca, salir a emborracharse, pedirle albergue a Víctor por una noche, incluso llegó a ocurrírsele la descabellada idea de presentarse a visitar a Agustina. Por fin acabó tomando un somnífero cuyo efecto no le duró más que hasta las tres de la mañana. A aquella hora, definitivamente espabilado y en tensa alerta a cualquier posible rumor de pasos por la casa, decidió deponer toda defensa contra aquel estado de excitación y se levantó a coger las carpetas que había guardado en el armario la noche anterior, entre sus camisas.

Se puso de pie y se acercó a la ventana con paso desganado. Se insinuaba una mañana nebulosa y turbia. Si por lo menos saliera el sol, en la luz del sol reside la única fuerza del universo, acababa de leerlo de su puño y letra en aquel folio sin fechar; fuente perenne de fuerza, el dios Ra imprime su curso a los humores del cuerpo.

«No existen más que Ra y el páncreas», se iba diciendo cuando, recién vestido, y ya de mejor humor, entraba en la cocina para desayunar.

Eran las ocho y media y una mujer de luto estaba colgando una chaqueta y un bolso en la percha de la entrada.

—Basi, ¿cree usted que saldrá el sol?

La mujer se volvió asustada. Representaba unos sesenta años y tenía unos ojillos vivaces y expresivos.

—¡Ah, es usted! ¿Cómo decía?

—Que qué tal día hace.

—No está muy católico. Mejor que coja la gabardina.

Diego se sentó en el banquito. La nueva chica no estaba.

—Hágame un poco de café, por favor. ¿Sabe que se fue Pura?

—Ya me dijo que a lo mejor se iba. Por eso he venido más temprano.
—¿Ha visto a la nueva?
—No, acabo de llegar. ¿Ha venido ya la nueva?
—Sí, la traje yo el sábado de Matalpino.
—¿Y qué tal?
—Parece lista. A ver si se ocupa usted un poco de ella. La hemos dejado bastante sola ayer todo el día.
—Sí, descuide. ¿Por dónde anda?
—No se debe haber levantado.
Evocó sus ojos serios y profundos, la llegada a Madrid, el breve mareo en la calle, y al calor del remordimiento que le producía pensar en ella se acordó de Gloria con redoblada malquerencia. A quién se le ocurría dejarla así desamparada, largarse sin más.
La señora Basi vino con el café y las tostadas.
—¿Le duele algo? Tiene usted mala cara.
—No sé si anda rondándome un poco de gripe.
—No me extraña, con estos cambios de tiempo.
Salió Luisa de su cuarto con rostro soñoliento, poniéndose el delantal y dio los buenos días con una voz inexpresiva. Diego la saludó amablemente y le presentó a la señora Basi.
—Hola, maja —dijo la señora Basi—, no creí que eras tan joven.
—Veinte años.
—Quién los tuviera.
—Ya le he dicho a la señora Basi que te hemos hecho poco caso, que a ver si te echa una mano ella.
—Sí, me puedo quedar hasta la tarde —ofreció la señora Basi—, lo que haga falta.
—Por mí, no —dijo Luisa—. Haga usted lo que tenga costumbre.
Diego notó que evitaba mirarle.

—No, mujer —dijo Diego—, por lo menos hasta que vuelva la señora. ¿Te dijo si volvía hoy por la tarde?

—No, no me dijo nada. Sólo el recado que le di.

Diego sintió como un castigo el tono frío de aquella respuesta que parecía dirigida a la pared. Apuró el café y le dio dinero a la señora Basi para que hiciera la compra.

—¿Es que no está la señora? —preguntó ella.

—No, está de viaje. Si vuelve, que me llame en seguida al despacho. Hasta luego.

—Adiós, señorito, y que se cuide, que anda una gripe muy mala.

Luisa no dijo nada.

Hasta que entró en el coche siguió pensando en ella y de rechazo en Gloria que no había movido un dedo ni para buscarla ni ahora para atenderla, a pesar de que era ella la causante de que Pura se hubiera despedido. Hacía una mañana fría y el dios Ra se replegaba en sí mismo, hurtándose a la indiferencia de sus fieles detrás del cielo encapotado. Todo era gris, el cielo, las fachadas de los edificios, el aparcamiento; grises las calles que luego iba surcando con un humor gris camino de aquella construcción alta y gris de las afueras donde se iba a sentar ante una máquina de escribir gris, grises los papeles con los que intentaría en vano enhebrar una historia de otro color para un público sin rostro, para las gentes grises de esta ciudad gris.

Cuando llegó a la editorial le dolía la cabeza y tenía mucho sueño.

—Que no me moleste nadie hasta que llegue el señor Ribas —le dijo a su secretaria.

—¿No le paso ninguna llamada tampoco?

—No. A no ser que llamara mi mujer. Y diga en la cafetería que me suban un café doble.

Con el café le trajeron la *Hoja del Lunes*. Hablaba de

once penas capitales impuestas por el Consejo de guerra a unos terroristas jóvenes, un tema candente aquellos días sobre el que le desagradaba opinar. Los acusaban —Isabel aseguraba que sin pruebas suficientes— de una ola de agresiones a la fuerza armada que habían venido sucediéndose a lo largo del verano, eran noticias que trajeron los periódicos durante los meses que él pasó en Ibiza con Gloria. Isabel cada día estaba más al tanto de las cuestiones políticas, tenía muchos amigos periodistas, abogados y hasta obreros y desde la primavera pasada desplegaba una inquietante actividad, estudiaba menos y sus opiniones se habían radicalizado en exceso. Precisamente a propósito de estas penas de muerte había surgido hacía pocos días en la mesa una discusión bastante agria que la presencia de Gloria no hizo más que enconar. Decía Isabel que los juicios eran ilegales, que no se habían admitido testigos de descargo, que era una provocación al cuerpo de abogados en pleno. «¿Y eso cómo lo sabes?», cortó él. «¡Porque no me limito a leer el *ABC*.!» «El *ABC* no va a haber inventado que murieron esos pobres guardias inocentes —intervino Gloria—, alguien los habrá matado, ¿no?, pues que lo paguen.» Isabel la había mirado con una sonrisa helada: «No hables como las señoras de Mingote». Gloria se había ido a su cuarto sin terminar el postre y, aunque él procuró continuar la discusión con talante ecuánime, notaba cada vez más convencionales sus argumentos y los esgrimía sin ganas, ensombrecido por la mala conciencia de no haber defendido a Gloria y por la idea de los reproches que le esperaban. La verdad es que aquel asunto de las penas capitales le interesaba en el fondo bastante poco, como todo lo demás que el periódico traía. Lo leyó de cabo a rabo, a pesar de todo, y hasta las once no tuvo alientos para sacar sus papeles. Empezó a releerlos con la mente en blanco y se puso a la máquina. Mientras tecleaba y trataba de pensar que estaba sirviendo para algo hacer aquella copia, le iban habitando una serie de preocupaciones paralelas a su quehacer e igualmente fragmentarias, pensaba que no había salido el sol, que esos chicos, si los mataban, no volverían a ver el sol, que qué difícil era convivir al mismo tiempo con Isabel y Gloria, que de qué forma tan estúpida se consumen las horas del día, que qué difícil es pasarlo bien después de los cuarenta años, que no conseguiría nunca escribir una novela.

A las doce menos cuarto llamaron al teléfono.

—Señor Alvar, es su esposa, ¿le pongo?

Sintió que se espabilaba de pronto y se le aceleraba el pulso.

—Sí, muchas gracias... Diga.

Oyó una respiración agitada, rematada por un profundo suspiro.

—Pero, Gloria, ¿dónde estás? ¿Cuándo has venido? ¿Te crees que hay derecho? Di... di algo por lo menos.

—Si no me dejas —dijo una voz apagada al otro lado del hilo.

La boca de Diego se frunció con fastidio.

—Perdona, creí que era Gloria.

—Pues yo he dicho bien claro que era tu mujer.

¿De qué abismos le llegaba la penitencia de aquella voz irreductible que ya sólo le despertaba enfado y piedad? ¿Hasta cuándo tendría que estarla padeciendo?

—Sí, bueno, perdona, Agustina, pero es que tú no sueles llamarme nunca aquí.

—Porque yo no te quiero molestar, prefiero morirme antes. Pero cuando ya no se puede más..., cuando no se puede. Bien poco te molesto.

—No me molestas nunca, qué cosas dices. Pero, ¿qué te pasa? Te noto la voz mal.

—Es que estoy mal, pero que muy mal, Diego, tengo que verte.

Se interrumpió, las últimas palabras se le habían ahogado en un susurro. Diego empezó a tamborilear con los dedos en la mesa. Era lo de siempre, se esforzaba por no llorar, pero sin escatimarle la noticia de que le estaba inmolando aquellos esfuerzos.

—Pero, vamos a ver, tranquilízate, ¿te ha ocurrido algo?

—No puedo soportar que estés enfadado conmigo.

—Por favor te lo pido, Agustina, no empieces a desbarrar, ¿de dónde sacas que yo estoy enfadado contigo?

—Sí lo estás, desde el sábado, fui muy brusca, perdóname, quería haberte llamado, pero Jaime no me dejó, así empiezan los malentendidos, pero a mí de Víctor no me importa nada, nada, te lo juro, dice que vaya, pues bueno, que nos bañemos en la piscina, que montemos a caballo, pues bueno, porque me da todo igual, que oigamos un disco y qué más da, pero me besa y siempre estoy pensando en ti... me puse el bañador negro para recibir el otoño, todavía lo tengo... Hace tanto que no hablamos bien, Diego... hay tantas cosas que explicar.

El discurso empezaba a tomar un sesgo de absoluta incoherencia y las palabras se enhebraban con una arritmia alarmante. Diego miró el reloj.

—Perdona, Agustina, ¿dónde estás?

—En aquel bar nuestro de la calle de las Huertas, ¿te acuerdas?... Me dijiste que te gustaría envejecer a mi lado.

—¿Y qué haces ahí a estas horas? ¿Has bebido?

Sonó una breve risita inarmónica que tenía algo de gemido junto a una reminiscencia de mimo infantil.

—*Um bocadinho* —dijo en portugués.

—Eres una inconsciente, Agustina, así nunca te podrás poner mejor.

—¡No me quiero poner mejor! —estalló—. ¿De qué hablas que me cure? ¿De ti? No quiero, ni tú tampoco quieres, no finjas, no finjas siempre.

—¡Basta, Agustina! Vete a casa ahora mismo y no sigas bebiendo ni una gota. Yo te llamo luego. ¿Has ido en tu coche?

—No.

—Menos mal, cógete un taxi, no se te ocurra conducir nunca estando así... Pero, por Dios, no llores.

—Perdóname, perdóname —decía ahora una voz entrecortada.

—Si no tengo nada que perdonarte.

—Sí, ven, ven ahora mismo... Por teléfono no te lo puedo contar.

—Perdona un momento.

Habían llamado a la puerta y entró la secretaria a decir que el señor Ribas estaba esperando abajo, le contestó que iba en seguida y esperó a que cerrara.

—Me dijo que me quedara un poco más, y luego un poco más, salió la luna, pero yo sólo me acordaba de ti... Tengo que verte —seguía diciendo aquella voz vacilante al otro lado del hilo.

—Perdóname, Agustina, pero no puedo seguir hablando contigo. Me esperan abajo. Tengo una mañana horrible.

—Yo también te espero, te espero aquí, no me muevo hasta que vengas.

—No digas disparates, ¡no quiero que sigas ahí! ¡No quiero!, ¿entiendes? Vete a casa ahora mismo.

—Perdóname, no te enfades, pensaba en ti todo el tiempo, la noche no la he pasado allí, él quería.

—¿Y por qué no te quedaste? Es absurdo.

—¡Mentira! ¿cuándo dejarás de mentir? No es absurdo, te importa, y él me dijo... habíamos entrado ya en la casa...

Diego notó que empezaba a perder definitivamente la paciencia.

—Mira, Agustina, no me importa nada absolutamente de lo que te dijo Víctor ni de lo que hiciste con él. Son asuntos tuyos. Haz lo que te dé la gana.

Hubo un silencio de hielo.

—Algún día te arrepentirás de lo que me has dicho.

—No me arrepiento de nada, de nada, ¿te enteras?... Perdona, me sacas de mis casillas... ¡Agustina! ¡Agustina!... Oiga, centralita.

—Diga —sonó la voz impersonal de la telefonista.

—Se ha cortado la comunicación. Estaba hablando.

—Es que han colgado, señor Alvar.

—Bien, gracias.

Se levantó muy nervioso y se puso a buscar en la guía la calle de las Huertas. ¿Cómo demonios se llamaba aquel bar? Lo había olvidado, era un nombre de hombre, casa Poli o algo así. Se quedó un rato pensativo con la guía abierta por la *hache*. Era inútil, tampoco se acordaba a qué altura de la calle caía. Marcó un número de teléfono apresuradamente.

—¿Es usted, Basi?

—Sí, señor.

—Dígale a la señorita Isabel que se ponga.

—No está. Acaba de salir con la nueva chica a llevar unos paquetes. ¿Quiere algún recado?

—No, voy a estar ocupado. Dígale que la volveré a llamar luego. ¿Ha vuelto la señora?

—No, todavía no.

—Gracias, hasta luego.

Colgó el teléfono. Eran las doce pasadas y el sol seguía sin salir. Sacó una pastilla de un tubito fino, se la tomó con un resto de café frío, recogió los papeles de cualquier manera y salió a toda prisa.

# Doce

La señora Basi era extremeña, pero llevaba muchos años viviendo en Madrid. Tenía una hija trabajando en Alemania, un chico casado y otro menor soltero que vivía con ellos y les daba muchos disgustos porque era un vago y un golfo, ya no sabían qué hacer con él, cuidado que había pasado por oficios, pues nada, no duraba más de dos meses en ninguno, pero eso sí, el dinero le gustaba a rabiar y dejarse el pelo largo y llevar camisas de colores y montar en moto, como le decía el otro hermano mayor: «Tú es que has nacido para marqués y te has quedado en el camino», y luego, si por lo menos se casara, a lo mejor sentaba la cabeza, pero con las novias le pasaba igual que con los trabajos, las dejaba siempre plantadas, ahora la gente no se quiere casar, no sé qué pasa; y era una pena, porque gracia para las mujeres tenía toda la que quería, las volvía locas, igualito que su padre de joven. El marido de la señora Basi tampoco era de natural muy activo, trabajaba en la construcción, pero por él no habría salido nunca de peón albañil, gracias a que el mayor, que ése era en cambio un hijo de bendición, lo había metido en una empresa donde llevaba ya tiempo y había conseguido que se especializara en impermeabilizar terrazas, le había enseñado a hacerlo y le había recomendado, todo con una paciencia, como si él fuera el padre y el otro el hijo, el mundo al revés, y entonces es cuando empezaron a ganar dinero y a vivir más desahogados y pudieron dar la entrada para el pisito del Gran San Blas, valía oro molido ese mayor y luego con una cosa para tratar a los jefes y decirles las verdades que a buenas horas le iba a avasallar nadie a él, se las sabía todas y tenía tres niños guapísimos, y la mujer siempre quejándose de que le daban guerra, una sinsustancia, porque yo no sé, chica, lo que tú pensarás, pero para mí una mujer que no le gustan los niños es como un árbol sin hojas.

Luisa escuchaba las historias de la señora Basi sonriendo y asintiendo cuando el tema lo requería o introduciendo, a lo sumo, algún breve comentario, mientras hacían la cama del señorito, porque la otra estaba intacta, igual que la había dejado ella la tarde anterior. ¿Dónde habría dormido Gloria? Le intrigaba imaginarlo, y, mientras oía desgranarse la cantinela monótona de la asistenta, se perdía en conjeturas sobre la vida secreta de aquella mujer a la que había visto escasamente media hora desde el sábado.

Terminaron de pasar la aspiradora y de fregar el baño y a las diez la señora Basi dijo que se bajaba a la compra antes de que fuera más tarde, porque los lunes hay mucha gente. Cogió un monederito negro y metió en él el dinero que le había dado Diego.

—Mira, éste es mi hijo Pedro, el pequeño —le dijo a Luisa—, para que veas que no es pasión de madre lo que te he dicho del éxito que tiene.

Le acercó el monedero abierto y Luisa vio, a través de un plástico opaco y rayado, una foto en colores del hijo de la señora Basi. Tenía un rostro vulgar de labios gruesos y ojos ahuevados rematados por pestañas negrísimas. Llevaba el pelo largo como se lo empezaban a dejar en Villalba los chicos que iban a la discoteca, cortado en disminución. No pudo resistir aquella mirada de planeta de los simios y le devolvió el monedero a la madre sin atreverse a mirarla, con un leve asentimiento.

—Y en persona es todavía mejor por la labia que tiene. Si fuera un poco más formal, le hablaría de ti. ¿O ya tienes novio?

—Sí —dijo Luisa.
—¿De allí de tu pueblo?
—No, de fuera... Bueno, ¿quiere que baje a la compra con usted?
—Mejor que te quedes por si hay algún recado. Los lunes se entretiene una mucho.
En cuanto se fue, Luisa sacó el papelito donde tenía apuntados los teléfonos de la calle de Maudes. Aparecían tachados todos los números menos tres. Ya tenía que ser uno de estos. Marcó el primero.
—Diga —contestó una voz soñolienta.
—¿Gonzalo Marín?
—¿Gonzalo?... No... ¿Quién eres?
—¿No está ahí?
—No, ya no está aquí. ¿Eres Silvia?
—No, soy Luisa, Luisa Morales.
—Ah, sí, la de las cartas. Tiene aquí un montón de cartas con tu remite, ya se lo dije la semana pasada, que llamó él a preguntar si había algo.
—¿Y no las ha ido a buscar?
—No, anoche seguían ahí.
—¿Está fuera de Madrid?
—¿Gonzalo? No, es que desde finales de agosto vive en casa de Monique.
—Ya. ¿Y sabe usted las señas de esa casa o el teléfono?
—Teléfono me parece que no tienen. Es en la calle de la Palma, al principio. Espera, el número te lo digo ahora.
—Siento molestarle —dijo tímidamente.
Pero el otro ya se había ido y tardó bastante en volver. Luisa estaba muy nerviosa porque había sonado el timbre de la puerta y no sabía si colgar o no, así que cuando vino y le dijo que el número era el cinco, se limitó a dar las gracias apresuradamente sin pregun-

tar el piso, el apellido de aquella Monique ni tantos otros datos que habría podido proporcionarle este desconocido depositario de sus más encendidas cartas de amor. Volvieron a llamar, esta vez con un timbrazo más prolongado y salió a abrir la puerta con el corazón en ascuas.

Eran dos hombres vestidos de oscuro, relativamente jóvenes, uno bastante más alto que otro.

—¿Isabel Alvar?

—Sí, aquí es, ¿qué deseaban?

—Policía —dijo el más alto enseñando una chapa pequeña—. ¿Está ella en casa?

—Sí, pero no se ha levantado todavía.

—¿Es usted de la familia?

—No, soy la chica.

—Pues avísela.

—Sí, señor. Pasen.

Los pasó a la cocina y, cuando se disponía a salir, oyó que preguntaban:

—Oye, ¿conoces tú a un tal Salvador Núñez Arenas?

No sabía si se dirigían a ella, por el cambio tan rápido al tuteo. Se volvió, la estaban mirando.

—¿Yo? No, señor, llevo sólo dos días en la casa.

—Bueno, pero a lo mejor lo has visto por aquí. Mira a ver si esta foto te dice algo.

Le enseñaron una foto tamaño carnet y, aunque era bastante mala, Luisa reconoció inmediatamente en ella a un chico delgado con bigote que había venido ayer tarde con Isabel y había salido luego con ella a cenar. Además ahora recordaba perfectamente que le llamó Salvador.

—Lo conoces, ¿no?

Luisa levantó una cara seria.

—No, no lo he visto nunca. Ya le digo que soy nueva en la casa.

Aguantó sin parpadear la mirada penetrante del policía más alto.
—Bueno, anda, si está lo vamos a encontrar igual. Le dices a tu señorita que traemos orden de registro.
—Ahora mismo voy. Siéntense.
Entró muy agitada en el cuarto de Isabel y cerró la puerta detrás de sí. La habitación estaba a oscuras, pero en seguida se dio cuenta de que no estaba ocupada sólo la cama de ella sino que también había alguien durmiendo en el sofá.
—Señorita, perdone que haya entrado así tan de repente, pero es que está ahí la policía.
Isabel pegó un brinco y se acercó al sofá.
—¡Salvador! ¡La policía! ¡Date prisa!
El bulto del sofá se removió, Isabel echó abajo con gesto rápido las mantas que lo cubrían y apareció el chico del bigote, vestido y con una expresión atónita. Se sentó y los dos estaban ahora mirando a Luisa, pendientes de su informe.
—¿La policía? ¿Cuándo? ¿Ha preguntado por mí? —cuchicheó.
—Sí, por Salvador Núñez Arenas. Me han enseñado una foto y era usted. Traen orden de registro.
El chico buscó sus zapatos debajo del sofá y se los metió a toda prisa, mientras Isabel se ponía una bata sobre el pijama.
—¿Qué les has dicho?
—Que yo no lo conocía de nada.
—Menos mal que no eres buena fisonomista, porque me viste anoche.
—Ya, me acordaba perfectamente.
—Pues eres una joya, chica —dijo Salvador.
Había abierto el balcón del cuarto que daba a una terracita pequeña.
—¿Hay alguien más en casa? —preguntó Isabel.

—La señora Basi, pero ha bajado a la compra.
—Menos mal.
—¡Qué suerte! —dijo Salvador desde fuera—. ¿Este piso es el último, no?
—Sí, pero no seas loco, ¿por ahí te vas a escapar?
Salieron Isabel y Luisa y calibraban, preocupadas, la altura de una pared que había a la izquierda, compuesta de un tramo alto y de otro pequeño y más metido, que ya terminaba en las terrazas superiores, adonde Luisa había subido la mañana anterior con Pura a recoger unas sábanas.
—Tú sal cuanto antes, anda, porque si no, desconfían y entretenlos todo lo que puedas. No tengo más remedio que intentarlo. Esta chica me ayuda.
A Luisa le nació una valentía inesperada.
—Tiene razón. Usted vaya a la cocina, no sea que vengan. Ya le ayudo yo sola bien.
Isabel la miró con ojos encendidos.
—Gracias, qué cielo eres. Pero, por favor, tú, ten cuidado.
Salvador se había agarrado a unos tubos de hierro que servían de armazón a un toldo recogido, trepó por ellos y desde arriba, de un salto, se colgó del tejadillo que remataba la primera pared. Luego consiguió acodarse en él y subir las piernas. Le faltaba el tramo más pequeño.
—¡Ah, oye, antes de irte! —dijo mirando para abajo—, dame mil pesetas, que no llevo nada.
Isabel se metió en la habitación y se puso a revolver en el bolso con manos temblorosas. Sacó el dinero.
—Déme —dijo Luisa—, que ya se lo saco yo. Usted vaya a la cocina cuanto antes. Y no se ponga nerviosa, que es peor.
—Sí, gracias. Ah, oye, y no le digas nada a mi padre ni a nadie de que Salvador estaba aquí.

—Descuide. Pero ande, váyase.

Se fue y Luisa salió a la terraza con el dinero. No llegaba para dárselo, aunque el otro se agachaba desde arriba cuanto podía y se tuvo que subir encima de dos tiestos puestos uno encima de otro. A poco se cae.

—Gracias, chica —dijo Salvador.

Le vio encaramarse en seguida por el otro tramo de pared. Ya estaba arriba. Se volvió.

—Dile a Isabel que no me llame a casa de ningún amigo, que ya le mandaré noticias yo.

—Bueno. ¿No le encontrarán ahí arriba?

—Ya, como que me voy a quedar aquí. Por aquí me escapo.

—Pero tenga cuidado. Hay muchos desniveles de una azotea a otra.

Se había fijado el día anterior, mientras ayudaba a Pura a recoger las sábanas. Precisamente, dejando vagar la vista por todas las terrazas que se enlazaban con aquella hasta varias manzanas más allá, había pensado en lo bonito que sería recorrer la ciudad por los tejados como en las películas. Esto de ahora sí que era de película y ella se sentía personaje episódico: la criada cómplice.

—Gracias, guapa, pero no te preocupes. Si ves algo mío por ahí lo recoges, ¿quieres?

—Sí, sí, ande, váyase. Y suerte.

—Adiós.

Entró y se puso a recoger rápidamente las mantas de encima del sofá. Al doblarlas para meterlas en el armario, saltó de entre ellas una carterita marrón. La tuvo unos instantes en la mano y notó que se empezaba a poner un poco nerviosa. No sabía dónde guardarla que no resultara peligroso. Salió a la terraza con la idea de enterrarla en un tiesto y se dio cuenta de que los dos que había dejado uno encima de otro podían despertar sospechas. El de arriba se había quebrado y se le salía la tierra. Lo puso en su sitio y estaba tratando de apretar los pedazos uno contra otro cuando le pareció oír ruido en la habitación. Entonces se retiró a un rincón que no se veía desde dentro, y apoyada contra la pared se levantó la falda y se metió la carterita dentro de las bragas. Luego miró alrededor por si alguien la había visto y reparó en que al otro lado de la calle, desde la terraza de aquel hotel o lo que fuera, el botones que la mañana anterior sacudía la lluvia de las hamacas la estaba mirando y haciendo señas. Apartó los ojos y se metió.

Isabel estaba en el cuarto con los dos policías. Menos mal que le había dado tiempo a recoger las mantas. Los ojos de Isabel se cruzaron con los suyos en un relámpago de complicidad, ligeramente interrogantes. Le hizo un leve gesto de aquiescencia, pero no le convenía mirarla mucho. Se dirigió a la cama y se puso a deshacerla, como si no la alterara la presencia de aquellos hombres.

—Supongo que no se volverá usted a acostar —dijo con voz tranquila.

—No, no.

Sacó afuera la brazada de sábanas y mantas y las apoyó contra la barandilla de cemento, canturreando. Así quedaba tapado el tiesto roto. Le parecía que estaba haciendo muy bien su papel, mucho mejor que los extras de la Pedriza del Manzanares. El botones de enfrente ya no estaba. Salieron los policías con Isabel.

—Este piso es el último, ¿no? —dijo uno de ellos mirando la pared por donde había trepado Salvador.

—Sí.

—¿Y esas terrazas de arriba son de la casa?

—Sí, los tendederos.

Luisa sintió que el fluido de su presencia podía ser perjudicial de alguna manera.

—Si quieren algo de mí, en la cocina estoy.

—Mira, sí —dijo el policía alto al otro—, que te acompañe la chica arriba por si acaso. Mira tú allí mientras yo sigo el registro por la casa.

A Luisa le dio un vuelco el corazón, pero evitó mirar a Isabel y se encaminó hacia la puerta seguida por uno de los hombres.

—¿Sabes tú por dónde se sube a las terrazas? —le preguntó Isabel cuando salían.

—Sí, estuve ayer con Pura.

Había visto muchas películas policíacas y sabía que a veces todo consiste en ganar unos minutos. Al pasar por la cocina para salir a la escalera de servicio tuvo una iluminación repentina.

—¿No le importa esperar un momento a que me ponga unas medias? Tengo un poco de frío.

—Bueno, pero no tardes.

—No, mi cuarto está aquí, ¿ve?, no me entretengo nada.

Se puso unas calzas sin cerrar siquiera la puerta, con el hombre allí fuera, a pocos pasos. Esto sí que era un *gag* bueno, con su punta de erotismo y todo. Con aquel refuerzo sentía más sujeta la carterita que se adhería a la piel de su vientre. Salió en seguida.

—¿Ve como no he tardado?

El policía le miraba las piernas.

—Sí, bueno, vamos.

Luisa, antes de salir, cogió la llave de casa, que estaba colgada en un clavito en el *office,* y subieron un tramo corto de escalera que llevaba a las terrazas. Había, rematándolo, una puertecita cerrada con llave. El hombre la empujó y no cedía.

—Dame la llave —dijo, volviéndose a Luisa.

—La tiene el portero. ¿Quiere que se la baje a pedir?

—Pues claro, pareces tonta. Creí que era ésa que habías cogido.

—No, esta es la de casa.
—Pues ya estás volando a por ella. Yo me quedo de guardia aquí.
No se dio prisa ni bajó tampoco a la portería. La llave de las terrazas estaba colgada del mismo clavito de donde había cogido la otra. Entró a cogerla y se sentó un rato en su cuarto, atenta a los rumores del pasillo. La satisfacción de ver lo bien que lo iba calculando y poniendo en práctica todo, según se le ocurría, la tenía sumida en una desconocida y lúcida excitación. Después de un rato le pareció oír ruido de pasos que venían y salió a la escalera otra vez. Bajó a pie hasta el segundo y allí se esperó unos minutos todavía antes de coger, por fin, el ascensor.
—Cuánto has tardado —dijo el hombre.
—Sí, es que estaba ocupado el portero.
—A ver, dame.
Abrió la puertecita, la empujó y salieron a un espacio muy amplio con el suelo de ladrillo rojo bastante gastado. Había ropa colgada, antenas de televisión y un gran depósito cilíndrico de hierro metido en una especie de caseta, en un ángulo. El policía miró allí dentro lo primero de todo. No había nadie. Luego extendió la vista por todo el ámbito y echó a andar, apartando sábanas, seguido a pocos pasos por ella, en sentido paralelo a la avenida que desde abajo disparaba humo y estridencias como una fábrica donde se cocinara color gris. Al llegar al límite de aquel reducto, rematado por un borde de cemento, se detuvieron. A partir de allí se extendía una vasta geografía de azoteas, separadas unas de otras por desniveles de diferente altura, hasta llegar a la primera bocacalle. Luisa las oteó con el corazón palpitante, mientras el aire frío de la mañana la despeinaba y se colaba por el escote de su uniforme azul, y el pecho se le dilató en un suspiro de alivio. Por pri-

mera vez desde que estaba en la ciudad se dio cuenta de que, pasara lo que pasara, este momento de la mañana del lunes ya le estaba pagando de tantas cavilaciones e incertidumbre como habían precedido a la decisión del viaje. Al chico del bigote no se le veía por ninguna parte: ella le había ayudado a esfumarse.

# Trece

Cuando la señora Basi volvía de la compra se encontró en el portal con Isabel y Luisa que salían cargadas con unos paquetes. Le dio un beso a Isabel. La tuteaba.

—Creí que no volvía, hija de mi alma. Cuándo se comerá con píldoras, ahora que inventan tantas cosas. Somos demasiados en este mundo. Yo no sé si he traído mucha comida, pero mira, mejor es que sobre que no que falte, ya que estaba en la calle, ¿no te parece?

—Sí, Basi, muy bien. Nosotras salimos, ¿sabe?

—Sí, hija, siempre corriendo, todo el mundo corriendo. Pensaba poner ensaladilla de primero, que eso no se estropea en la nevera, y así aunque no venga tu padre, pongo por caso, ni la señorita Gloria...

—Estupendo, muy bien.

—Y eso que tu padre andaba medio resfriado. Pero es que si pongo un caliente y luego no venís. ¿Tú vas a volver?

—Sí, no nos entretenemos nada. Es sólo un recado.

—Pues entonces igual pongo unas patatas al horno, que a ti te gustan.

—Lo que quiera, Basi, a mí ya sabe que me gusta todo.

—Bueno, ya veré. El Ángel quiere venir a veros una tarde de estas, está el hombre muy agradecido por lo del aval. Su señorita Isabel que no se la toquen, no sabes lo que te quiere, todo el día me está dando la monserga. Yo ya le digo que entre unas cosas y otras, casi nunca te veo.

—Pues que venga cuando quiera, mujer, pero que llame antes, por si acaso. Oye, mira, luego hablamos, que voy con prisa.

—Ay, sí, malditas prisas, qué Madrid éste, pero luego bien que nos gusta a todos. Se lo decía antes a la chica ésta, lo pisas y ya no sé qué tiene, no te puedes volver a tu pueblo.

—Ya, es verdad. Bueno, adiós, Basi.

Salieron a la calle.

—¡Uf! —dijo Isabel, cuando estaban cruzando por el paso de peatones—. A esta Basi la temo, es bonísima, pero se enrolla como una persiana. ¿Te pesa mucho eso?

—No, no se preocupe.

Se metieron en un dos caballos algo viejo que tenía aparcado en la acera de enfrente y depositaron los paquetes en el asiento trasero. Eran cinco, atados con cuerda gruesa y pesaban bastante. Se pusieron en marcha sin entretenerse.

—No sabes lo que ha sido que estuvieras en casa esta mañana —dijo Isabel—. Si no es por ti, a mi amigo lo cogen, seguro.

Hablaba muy aprisa y con voz alterada.

—Ya pasó —dijo Luisa—. Ahora lo que hace falta es que no lo pillen en otro sitio.

—Ojalá, Dios te oiga. ¿Pero, qué haces?

Luisa, aprovechando que el coche se había parado en un semáforo, se había agachado y estaba metiéndose la mano por debajo de la falda. Sacó la carterita de piel marrón y se la tendió a Isabel.

—Nada, estaba sacándome esto que cogí antes del sofá, se le debió caer a su amigo cuando estaba durmiendo, pensé que podía ser peligroso.

Isabel cogió la carterita y la abrió.

—¡Madre mía! —dijo, al tiempo que la depositaba en la guantera—. ¡Que si es peligroso! Pero eres un tesoro, chica, déjame que te dé un beso.

Luisa sintió en la mejilla el roce de aquellos labios finos

sin pintar y en su frente la cosquilla del pelo despeinado. Ya volvían a correr.

—Pura habría metido la pata, seguro. ¿Tú crees que lo habrá visto alguien?

—No creo, yo sólo vi a un chico en la terraza de enfrente, pero fue luego. Cuando él se escapó me parece que no estaba.

—Pero digo después, cuando subisteis a la azotea de arriba...

—Ah, no, cuando subimos, nada, ni rastro. Le dio tiempo de sobra a escapar. Yo me entretuve mucho en subirle la llave al hombre ése.

—Eres un genio, de verdad, Luisa. ¿De dónde has sacado tanto talento?

Luisa sonrió y se encogió de hombros.

—Ya ve, de mi padre habrá sido, porque a mi madre, la pobre, le estorba lo negro.

—¿A qué se dedica tu padre?

—Era maestro. Murió hace dos años —dijo Luisa, con la voz velada por una súbita pesadumbre.

—¡Vaya por Dios! ¿Y a ti no te habría gustado estudiar?

—Soy algo vaga, y luego, lo que pasa, las cosas de los pueblos... Pero tengo el bachillerato casi acabado.

—¿Y cómo no lo terminas? Aquí mismo lo puedes terminar. Hay clases nocturnas.

—Sí, puede, ya veremos.

Continuaron un trecho en silencio. Luisa se sentía presa de un súbito desaliento y dejaba resbalar los ojos distraídos por los portales de los sucesivos edificios y por las figuras borrosas y movedizas de los transeúntes.

—¿Sabe usted si cae muy lejos de aquí la calle de la Palma? —preguntó de repente.

—La hemos dejado atrás, está cerca de casa. ¿Quieres que pasemos? Hay tiempo.

—No, luego me la enseña en el plano, si hace el favor. Iré a la tarde, tengo que dar un recado.

Siguió mirando por la ventanilla, pasmada, como si despertara de una borrachera. Estaba cerca de la suya la casa de aquella Monique que tenía nombre de mujer guapa y elegante, nombre de despertarse entre almohadones, con camisón de seda y oliendo a perfume, de muñeca artificial que se reiría con risa artificial si a alguien se le ocurriera llamarla flor silvestre. Tal vez era alguna de aquellas figuras de color que circulaban por la calle en la mañana plomiza del lunes, podía ser esa misma que salía de la cafetería y llamaba a un taxi. Isabel sacó un pitillo y le ofreció otro a Luisa, se lo encendió. Notó que fumaba sin tragarse el humo.

—Perdona que me meta en tu vida —le dijo—, pero con lo inteligente que eres estoy segura de que podrías trabajar en cualquier cosa que no fuera ponerte a servir en una casa de locos.

—Sí, yo también creo lo mismo —contestó Luisa con convicción—. Pero no se apure, que no pienso estar mucho tiempo.

A Isabel le cogió de sorpresa el tono de aquella respuesta tan concisa y al mismo tiempo tan altiva.

—Harás bien —se limitó a decir—; el servicio doméstico está llamado a desaparecer, es un trabajo anticuado y sobre todo injusto. Yo se lo decía siempre a Pura.

Luisa no contestó nada y a Isabel, a pesar de la curiosidad que sentía, le pareció indiscreto atosigar con interrogatorios a quien ninguna pregunta había hecho acerca de la situación tan extraña en que acababa de verse implicada. Le pareció mejor, en cambio, darle una prueba de confianza y suministrarle algún dato sobre esa situación.

—Menos mal que no han efectuado un registro a fondo —dijo después de una pausa—, que venían sobre todo a por Salvador. Estos días hay que andar con cien ojos. Cuando entró el tipo ése en el cuarto trastero creí que me moría.

—¿Los tenía usted allí estos paquetes?

—Sí, detrás de los chismes de limpieza, tapados con unos trapos de mala manera. Si casi se veían. Se me pone la carne de gallina de pensar que me los hubieran pillado.

—Pues no lo piense ya —dijo Luisa—. Por mí no se preocupe, yo no he visto nada. Y si vuelven, lo mismo, me hago la tonta.

—Ya, hija. No hay como no serlo. Está el mundo lleno de listos de pacotilla, pero en cuanto los pones en una situación de las que no vienen en los manuales, se acabó, se les hunde el edificio.

—Siempre es uno más listo para las cosas de los demás que para las suyas —dijo Luisa.

Habían llegado a una plaza pequeña, el coche se detuvo y sacaron los paquetes.

—Mira, espérame en ese bar de ahí —dijo Isabel—. Yo subo un momento los paquetes a esta casa y vuelvo en seguida.

—¿Quiere que se los ayude a subir?

—No, les gustará más que venga sola, son asuntos delicados y esta gente no se fía de nadie.

—Natural —dijo Luisa—, de mí por qué se van a fiar si no me conocen; bueno, ni usted tampoco.

Isabel la miró de plano a los ojos y Luisa sintió el calor de aquella mirada entregada y amistosa.

—Yo sí te conozco —dijo—. Anda, guapa, espérame ahí, que procuraré bajar en seguida. Te tomas un café o lo que quieras.

Luisa entró en el bar, pidió una copa de coñac y se sentó junto a la ventana. Era una placita cuadrangular, con árboles raquíticos y muchos coches montados en las aceras. Pasaba gente de rostro vulgar, atareada, ausente, sin misterio. Nada de cuanto veía le despertaba emoción alguna, tenía que imaginar otros paisajes para sentirse vivir, playas lejanas donde batiera el mar azul que nunca había visto, espacios abiertos. Cuando le trajeron la copa de coñac y se la llevó a los labios, las manos le temblaban. Habían sido demasiados argumentos seguidos los que esta mañana habían llovido sobre aquella noticia que ahora empezaba a desenmascararse ante sus ojos, más tangible que los coches y los árboles, como una presencia descarnada que se cernía sobre toda la ciudad: Gonzalo no había ido a buscar sus cartas. «Anoche seguían ahí», había dicho aquel chico de la calle de Maudes. Ni siquiera le había podido preguntar por la naturaleza de ese «ahí», ignoto paradero de sus urgentes mensajes, si era cajón, mesita, librería, dónde, en qué pasillo, en qué rincón, a escondidas o a la luz, cerca o lejos de una puerta. Si ella supiera que existía en alguna parte del mundo un sobre cerrado con su nombre escrito por mano de él iría a buscarlo aunque fuera descalza y removiendo piedras, aunque tuviera que afrontar aventuras y peligros, la fuerza de su deseo le daría ánimos para inventar cualquier recurso y no cejar en la búsqueda; quién pudiera tener ese aliciente, sería como resucitar. Pero él, en cambio, no había tenido tiempo en tantos días para acercarse a un lugar de señas concretas a recoger aquellas cinco cartas que le invocaban desde horas de angustia, yacían dentro de sobres cerrados sobre una mesita desconocida de un piso desconocido, entregadas a la floja custodia de un desconocido que podía extraviarlas, abrirlas incluso. Trató de recordar el contenido de alguna de ellas; las escribía casi siempre de un tirón, en lugares solitarios donde nadie pudiera venir a interrumpirla, se iba de paseo con un cuaderno por los alrededores del pueblo, evitando a las amigas, poniéndoles pretextos, y una vez con el bolígrafo sobre el papel sentía crecerle una fuerza secreta que la llenaba de audacia y de seguridad en el poder de su palabra. Una de esas tardes, sentada en una piedra a la falda de la Maliciosa, en un sitio donde había estado varias veces con él, mirando el cauce seco de un arroyo que en primavera corría abundante, se le vinieron a la cabeza imágenes de su infancia, de cuando se bañaba en una poza que formaba allí el riachuelo o venía a jugar con otros chicos y le parecieron trozos de un cuento, como si todo lo que había vivido antes de conocerle no tuviera sustancia ni realidad verdaderas. Eran primaveras, otoños y veranos evocados sin nostalgia, transcurridos sin pena ni gozo, cuentas grises de rosario en medio de las cuales irrumpía, como un misterio glorioso, la certidumbre de que el mundo existía porque existían unos ojos que la habían mirado en este mismo sitio. Y se puso a escribirle y le decía que gracias a él la tarde se salvaba de morir, que antes no veía nada, ni árboles ni montañas, ni nubes ni escarabajos ni tomillo, ni sentía el aire en la cara ni le circulaba la sangre, que cómo podía vivir antes, dónde tenía los ojos. No se le ocurrió pensar que pudiera parecer la letra de una canción cursi, lo escribió de un tirón y se repetía deslumbrada: «Gonzalo existe», como un estribillo que hacía danzar su mano y hacía nacer aquellos renglones cargados de espontánea inspiración.

Miró con ojos de incomprensión la placita cuadrangular, a través de los cristales del café: todo eso estaba escrito dentro de un sobre que seguía cerrado encima de una mesa de la calle de Maudes. Apuró la copa de coñac, se levantó y fue al mostrador:

—¿Tienen ustedes teléfono?

—Sí, ahí en el rincón. ¿Quiere ficha?

—Sí.

No había tirado el papelito donde apuntó aquellos números. Marcó el primero de los tres sin tachar.

—Perdone, soy la chica de antes, la amiga de Gonzalo Marín.

—Ah, sí, ¿qué hay?

—¿Ha ido a por las cartas?

—No.

—Pues si hace el favor me las baja a la portería y me las deja en un sobre a mi nombre.

—Bueno, pero a lo mejor viene él cualquier día de éstos.

—Ya, pero es que yo le voy a ver esta tarde.

—Vale, ahora las bajo, entonces.

—No se olvide, por favor.

—No, no.

Notaba las piernas flojas. Pidió otra copa de coñac y se la llevó a la mesa, obsesionada ahora de repente por aquel nombre de mujer, Monique, que interceptaba, como una piedra, la saliva en su garganta, borrón que oscurecía el sol y enrarecía el aire. La placita aquella era como una decoración de teatro. Cerró los ojos, se veía lejos de esta ciudad, se escapaba de la mano de él brincando azoteas, llegaban a un país donde no los conocía nadie, a una playa desierta, se tumbaban bajo el cielo, de cara al mar azul. «Un día te tengo que llevar a ver el mar, es un pecado que no lo conozcas», se lo había dicho de repente, en aquella habitación de Villalba con las paredes pintadas de color verde manzana, tan fea y tan maravillosa, él siempre decía las cosas de repente como en un resplandor de fuego que trastornaba los tonos de la realidad, y el mar había surgido como por encanto derribando aquellas paredes verdes, sustituyéndolas, su palabra era el barco que los llevaba por el mar. Se mareaba. Todo lo veía rojo.

Volvió Isabel y se sentó enfrente de ella.

—Ya está, perdona, me he entretenido un poco... Pero, ¿qué te pasa? ¿Te encuentras mal?

—Sí —dijo con un hilo de voz, sin abrir los ojos—. Me mareo.

Isabel cogió por encima de la mesa las manos de Luisa y notó que las tenía muy frías.

—¿Qué tienes? ¡Qué egoísta soy! ¿Puedo hacer algo por ti?

Luisa abrió unos ojos neutros que no miraban a ninguna parte y los posó luego sobre los dedos de Isabel que enlazaban los suyos.

—Tengo miedo de estar embarazada —dijo, sorprendida ella misma de lo fácil y lo indiferente que le resultaba formular aquella confesión.

—¿Sí? Pero, ¿seguro? —preguntó Isabel tranquilamente.

—Seguro no, tengo un retraso de quince días.

—Bueno, eso no es tanto. Lo primero es que te hagas la prueba del Predictor. ¿Te la has hecho alguna vez?

Luisa miró a Isabel, tenía una expresión serena que infundía confianza.

—No, ¿qué prueba? Yo no sé, yo no he estado nunca así. Pero no quiero ir al médico.

—Si no hace falta ir al médico. Es una prueba que se hace en casa, y la podemos hacer esta misma tarde, si quieres.

—¿Qué hay que hacer?

—Nada, muy fácil, son unos tubitos que se compran en una farmacia, se mezcla con unas gotas de orina y se deja un rato. Si estás embarazada aparece una manchita roja. Yo te ayudo, lo compramos ahora.

Luisa no decía nada. Parecía haberse quedado sin reacción.

—Y aunque estés embarazada —dijo Isabel— tampoco te amilanes. Ya no tiene por qué caérsele el mundo encima a una mujer por una cosa así; eso era antes. ¿Tienes miedo de tu madre o qué pasa?

Luisa miraba a lo lejos con una expresión enigmática y reconcentrada.

—No sé... no pienso en mi madre —dijo.

—Pero vamos a ver, una cosa importante —dijo Isabel con voz despejada y experta—, caso de que la prueba dé positivo, ¿tú el hijo lo quieres tener o no?

—No lo he pensado, depende...

—¿De qué depende? ¿Del padre?

—Del padre, sí.

—¡El padre que te eche una mano! —se indignó Isabel—. Se lo dices y en paz. ¿Es de tu pueblo?

—No, es de aquí. He venido a ver si lo encuentro. A lo mejor lo veo esta tarde. Pero no pienso decirle nada de eso, eso es lo de menos.

—¿Cómo que es lo de menos? —estalló Isabel—. Se lo tienes que decir en cuanto lo veas, pues no faltaba más, tanto miramiento con los tíos, ya está bien... Pero no llores. Mal camino es ése.

A Luisa le habían empezado a asomar lágrimas. Agradecía mucho el interés de esta chica, pero le avasallaba su tono agresivo y comprobaba con consternación que no era capaz de explicarle nada.

—¿Era el primer hombre con el que te acostabas? —preguntó Isabel, dulcificando el tono.

—Y el último —dijo Luisa—, nunca podré querer a nadie más. Nunca.

Se tapó la cara con las manos y decía llorando:

—¡Tengo miedo de que me haya olvidado, mucho miedo, mucho más que de estar embarazada!

A Isabel se le ensombreció la expresión. Se estaba acordando de su madre.

—Anda, por favor, no digas tonterías. Vamos a comprar eso a la farmacia. ¿Te encuentras mejor?

Luisa se limpió la cara con la mano.
—Sí, vamos —dijo levantándose—. Pero, si hace el favor, acompáñeme primero a la calle de Maudes a recoger una cosa.
Salieron. Isabel la llevaba cogida por los hombros.

# Catorce

Al volver a casa, después de una comida de negocios con directivos maduros de aspecto juvenil en restaurante de cinco tenedores, Diego se encontró en la puerta con la señora Basi que se iba. Le dijo que Isabel le estaba esperando, que había venido el fontanero a arreglar la ducha, que la nueva chica se había echado un rato, que le habían faltado doscientas pesetas para la compra, que dos recibos de la señora que habían llegado no los había podido pagar y que qué tal se encontraba de la gripe. De la señora, que no, que no había vuelto.

Diego entró directamente al cuarto de Isabel. Se la encontró arrodillada en el suelo, delante de un cajón grande, revolviendo papeles. Tenía otros muchos esparcidos por el suelo.

—¿Qué hay, papá? Por fin has venido.

Diego se sentó en el sofá donde había dormido Salvador.

—Vengo roto —dijo—, no puedo más.

—¿De dónde vienes?

—De comer con gente importante, hija, que es lo más cansado de este mundo.

—Bueno, no exageres. Picar piedra debe cansar bastante más.

Había recogido los papeles dispersos y vino a sentarse enfrente de él. Diego guardaba silencio.

—¿Qué pasa? Me llamaste antes dos veces, ¿no?

—Sí, yo no puedo más, Isabel; me tienes que ayudar un poco. Deberías ir a ver a tu madre.

—¿Esta tarde? Yo esta tarde no puedo. ¿Por qué? ¿Le pasa algo?

—Vuelve a beber mucho. Esta mañana me ha llamado al despacho en un estado verdaderamente alarmante.

—Pero, ¿qué te decía?

—¡Qué sé yo!, disparates, cosas raras. De Víctor, que me tenía que ver para contarme algo muy importante, como dando a entender que ayer en la finca de Víctor ocurrió algo entre ellos, pero que ella no quería, todo en un plan tan incoherente que parecen puras fantasías, montajes suyos para darme celos.

—Bueno —dijo Isabel—, fantasías no sé por qué. Mamá es muy guapa todavía y a Víctor le gusta.

Diego levantó unos ojos sorprendidos.

—¿Que mamá le gusta a Víctor? Yo nunca se lo he notado. Y mira que son años.

—Bueno, tú no, pero yo sí, y Jaime también. Hace ya mucho tiempo que lo comenté con él.

—¿Comentasteis qué?

—Eso, que cómo no notarías tú que Víctor estaba enamorado de mamá.

Diego trató de disimular el efecto que aquella confesión le producía.

—En fin, Isabel, si además es lo mismo. Qué más quisiera yo que mamá pudiera olvidarse de mí, lo malo es que no hay manera. Esta tarde, por ejemplo, después de lo que me ha dicho, la iría a ver para que hablásemos, pero es que le tengo miedo, de verdad.

—Ya, pero es lo de siempre. Con irla yo a ver una tarde no se arregla nada tampoco. No puedo evitar que me ponga nerviosa y ella lo nota y todo sale mal. Vete tú, trata de hablarle normalmente. Al que quiere ver es a ti, eso está claro.

Diego tenía un aire extenuado.

—Si es que no sé cómo acertar con ella, de verdad. Si le hablo normalmente, con cariño y eso, malo, porque me hace unas escenas fuera de lugar, y si no, si estoy un poco distante, peor todavía. Ahí está lo grave, que me ve aparecer como si no hubiera pasado nada desde el día en que nos conocimos, y yo, claro, la trato mejor o peor, pero desde mil novecientos setenta y cinco, desde el que soy ahora, si es que soy alguien y no un pedazo de leño con ojos, que ya, hija, ni lo sé.

Isabel miró la cabeza inclinada de su padre y pensó con cierto desagrado que últimamente se escudaba con demasiada frecuencia en actitudes un poco teatrales.

—Mira, tampoco te pongas así. Ni tú, ni yo, ni Víctor, ni Jaime, ni nadie. Mamá lo que necesita es ponerse en tratamiento otra vez cuanto antes, está enferma y hay que tomar una determinación. Ya sé que es un problema pesadísimo, pero lo tenemos que afrontar.

—Claro, pero ya te acuerdas cómo terminó con el último psiquiatra.

—Porque era muy malo. Pero se busca otro mejor.

Se pusieron a hablar de las ventajas e inconvenientes de los distintos especialistas que habían tratado a Agustina, a recordar las ocasiones en que había necesitado cada tratamiento y las dificultades casi invencibles que ponía siempre para aceptarlo. Era un recuento que ya habían hecho otras muchas veces y, dentro de su monotonía, ofrecía el escape de una serie de anécdotas adyacentes en las que el relato se ramificaba y que admitían incluso la introducción del humor. Sacaron a relucir a aquel primer psiquiatra pequeñito y pedante que pagó el abuelo Sousa un verano y cuyo tono campanudo Isabel imitaba con mucha gracia, hablaron de la tía Clara y del abuelo, de lo conveniente que sería para Agustina irse a vivir con ellos y terminaron haciendo referencia al dineral que cuestan los psiquiatras, a lo maleada que estaba la especialidad y a los fallos de la medicina en general.

Era ya proverbial que, cuando las conversaciones sobre

Agustina desembocaban en este tema de la psiquiatría, se quedaran empantanadas en él. En efecto, tras un primer tramo de ligereza y animación, el diálogo empezó a entrar en vía muerta y las opiniones se fueron espaciando y veteando de pausas mortecinas, en torno a las cuales cada uno elaboraba por separado retazos de preocupaciones secundarias. Al final, de hecho, Isabel pensaba casi exclusivamente en cómo haría para hacer llegar la carterita con los documentos a manos de Salvador, y Diego en lo que le diría a Gloria cuando volviera. No decidieron nada definitivo, pero quedaron en buscar cada uno por su cuenta un psiquiatra que ofreciera verdadera garantía, costase lo que costase, y en que Jaime se encargara de ir preparando el terreno para convencer a su madre. Diego manifestó, por último, que pensaba ir a ver a Víctor y hablar con él francamente. Luego levantó unos ojos sin brillo.

—Estoy muerto, hija, me voy a dormir un poco.

—Sí, yo también tengo que salir.

—De todas maneras —dijo Diego, ya en la puerta—, llamarla luego un momento no te cuesta nada. Le preguntas, como cosa tuya, que qué tal está. Simplemente que te oiga la voz.

—Bueno, sí, de acuerdo. Y a ver si descansas un rato, hombre, que en esas comidas en vez de caviar parece que te dan veneno.

Isabel, cuando se fue su padre, recogió el cajón, lo metió en su mesa, miró el reloj y se dirigió al cuarto de Luisa. La vio echada inmóvil en la cama, con los brazos cruzados detrás de la nuca y los ojos fijos en el techo. Tenía unas cartas esparcidas alrededor de su cuerpo sobre la colcha.

—¿Has mirado eso? —preguntó Isabel desde la puerta.

—No. ¿Ya ha pasado el tiempo?

—Sí, claro.

—Pues mírelo usted, si me hace el favor. Ahí, encima del radiador lo tiene.

Se puso a recoger las cartas, sentada en la cama, mientras Isabel se acercaba al radiador y examinaba atentamente, sin tocarlo, un pequeño paralelepípedo de plástico transparente con un espejito oblicuo en la parte de abajo y un tubo introducido verticalmente por un agujero de la cara superior. El líquido del tubo reflejaba en el espejo un círculo amarillo.

—No lo habrás tocado —dijo Isabel.

—No, señorita, no me he movido —contestó Luisa que, tras recoger las cartas, había vuelto a la misma postura de antes.

—Pues, nada, no estás embarazada.

—¿Seguro?

—Seguro, míralo. No aparece ninguna manchita roja en medio del círculo. ¿Ves cómo no era para apurarse tan pronto? Ya te lo dije. Pero ven a verlo, mujer.

—¿Para qué? —dijo Luisa sin moverse—. Basta con que usted lo diga.

Isabel vino a sentarse al borde de la cama.

—¿Pero qué te pasa? ¿No te alegras?

—Sí.

—Pues no lo parece. Anda, levántate de ahí. ¿No decías que ibas a ver a tu novio esta tarde?

—Sí, luego a lo mejor me acerco.

Isabel notó que le crecía una sorda indignación ante la actitud apática de esta chica, tan inteligente y vivaz pocas horas antes.

—¡Pero con esa cara, no! ¡Ni en ese plan! Ya te has quitado de encima el peso principal, ¿no? Pues vete a verle con desplante y con chulería, pisando fuerte, si no, no vayas. Lo último que le tienes que inspirar a un hombre es pena.

Luisa se la quedó mirando con sorpresa.

—Es que no sé si ir o no —dijo—, se me han quitado las ganas de todo.
—Pero ¿por qué? ¿Por lo del embarazo?
—No, por eso, no. Es por una cosa que me dijo esta mañana un amigo suyo. Pero, por otro lado, no lo entiendo, no entiendo que me haya podido olvidar.
—Bueno, pues vas a verle y se lo preguntas, y así sabes a qué atenerte. Venga, levántate de ahí.
Luisa se levantó y guardó las cartas en la maleta.
—Si no hace falta que le pregunte nada —dijo—, me bastará con mirarle a la cara, lo sabré en seguida. Por eso tengo miedo.
—No tengas nunca miedo a la verdad —dijo Isabel—. Por mucho daño que te haga, más daño hace vivir en la mentira, créeme, mucho más. A eso sí que le debías tener miedo.
Estaba sentada en la cama y había pronunciado la última frase mirando para el suelo, con aire ensimismado, y hasta quizás en tono algo solemne. Pero en seguida reaccionó con viveza.
—Vamos, ven a mi cuarto —dijo levantándose de repente—, que te arregle y te ponga guapa. ¿Quieres?
—¿Tiene tiempo? Se va usted a entretener.
—No, es un momento. Que todo fuera tan difícil en este mundo como ponerte guapa a ti. Te dejo ropa mía y te peino, ¿me dejas que te peine como yo quiera?
—Sí, pero a él le va a parecer raro verme peinada y arreglada de una forma distinta. Siempre decía...
—Mira, olvídate ahora de lo que decía. Lo que hace falta precisamente es que le parezcas rara, la sorpresa, desorientar. ¿Qué número de zapato gastas?
—El treinta y siete.
—¡Qué suerte! Igual que yo.
—Pero cuando le diga que estoy sirviendo, dirá...
—¡Si no le tienes que decir que estás sirviendo, ni que

has venido a Madrid a buscarle ni nada! Te inventas una historia fantástica, mentiras por acá y por allá, una visita breve y que cuando te vayas se quede intrigado, con ganas de volverte a ver. Y así, riéndote, así tienes que ir. ¿A ver cómo te está el pelo hacia arriba?... ¡De fenómeno! Chica, si es que tienes una mata de pelo increíble. Mira, mírate tú misma.

Luisa se dejó conducir por Isabel, que iba a sus espaldas sujetándole el pelo en lo alto de la cabeza, hasta el espejo que había junto a la puerta. Se vio favorecida, pero su risa le parecía la de otra persona y buscó en el azogue aquella mirada detrás de la suya como un puerto donde anclar su naciente ilusión.

—No voy a ser capaz de decirle mentiras.

—Pues, hija, seguro que él te habrá dicho más de una. La vida es teatro, y los hombres lo saben de sobra, puro teatro, pero hay que hacerlo bien, ganarles por la mano a ellos.

—Yo no sé hacerlo, no soy capaz.

Isabel soltó el pelo de Luisa, que se volvió a deslizar por sus mejillas y sus hombros y se quedó mirándola con un gesto de cómica sorpresa.

—¿Que no eres capaz? ¿Y lo de esta mañana?

—Lo de esta mañana me parecía que lo estaba haciendo otra persona, no sé, como si lo estuviera viendo desde fuera.

—¡Claro!, en eso consiste precisamente. Pues esta tarde igual, igual tienes que hacer: verlo desde fuera. Anda, ven a mi cuarto que te disfrace.

Las dos figuras se separaron del marco rectangular, echaron a andar camino de la puerta y el espejo se quedó reflejando el cuarto vacío con el radiador, sobre el cual se reflejaba, a su vez, en un espejo más pequeño la mancha amarilla y estática.

nas venido a Madrid a buscarte ni nada. Te inventas una historia fantástica, mentiras por acá y por allá, una visita breve y que cuando él se vaya se quede [illegible] con ganas de volverte a ver. Y me... acércate [illegible] que a... ¿A ver cómo te está el pelo hacia arriba?... ¡Te favorece! Calla, si es que tienes una mata de pelo increíble, hija, [illegible] tú misma.

Isabel se dejó conducir por Isabel que iba a sus espaldas rozándole el pelo en lo alto de la cabeza, hasta el espejo que había junto a la puerta. Se vio favorecida, pero su risa le parecía la de otra persona y buscó en el rostro aquella mujer detrás de la ropa como un paisaje donde anidar su [illegible].

—No voy a ser capaz de [illegible].

—Pues, hija, seguro que él te habrá dicho más de una [illegible] es teatro, y los hombres lo saben de sobra, todo teatro, pero hay que hacerlo bien, ganarles por la mano a ellas.

—Yo no sé [illegible], no soy capaz.

Isabel sintió el peso de Luisa, que se volvió a deslizar por sus mejillas y sus hombros y se quedó mirándola con un gesto de cómica sorpresa.

—¿Qué no eres capaz? ¿Y lo de esta mañana?

—Lo de esta mañana me parecía que lo estaba haciendo otra persona, no sé, como si lo estuviera viendo desde fuera.

—Claro, en eso consiste precisamente. Pues esta vez de igual, igual tienes que hacer, verlo desde fuera. Anda, vamos a mi cuarto que te arregle.

Las dos figuras se separaron del marco del espejo, echaron a andar camino de la puerta y el espejo se quedó mirando al cuarto vacío con el radiador, sobre el cual se reflejaba, esta vez en su superficie más pequeño, la mancha amarilla y estática.

## Quince

Isabel la despidió junto a un puesto de periódicos, vio cómo un poco más allá se volvía sonriendo para decirle adiós con la mano y cómo luego se tropezaba con un señor que se quedaba mirándola alejarse con el traje sastre de terciopelo verde y la cabeza erguida, caminando lenta y graciosa sobre sus tacones, ligeramente atenta al mantenimiento del peinado, al zigzagueo irreflexivo de los transeúntes y al reflejo de su figura en los escaparates.

Los transeúntes, a media tarde, circulan más despacio por la ciudad, han salido sin designio ni rumbo precisos, a buscarse algún estímulo, a hacer tiempo, a tomar otro café, a mirar a las chicas que a su vez se miran en los escaparates, a comprar la prensa y demorarse un poco, después de pagarla, en la contemplación de tantos rostros y cuerpos de mujeres retratadas a todo color en la primera plana de las revistas, avasalladoras, procaces, irreales, idénticas. Apenas en una leve variación de criterio para ladear la cabeza, para subir un poco más la rodilla, para acentuar la inerte voluptuosidad de la sonrisa podrían diferenciarse realmente las unas de las otras porque el atavío no significa nada, es tan sólo el azar quien ha dispuesto que la rubia del flequillo eligiera la blusa a cuadros desabrochada y la morena de pelo afrocubano el blanco peplo griego o los gruesos collares sobre el pecho desnudo, otro día saldrán en la misma baraja los adornos dispuestos al revés, piernas, abalorios, rizos, atuendos y sonrisas se despliegan ante los ojos del transeúnte vespertino en indiferenciada amalgama, le saltan a la cara, avivan unos instantes su corazón aletargado en llamarada fugaz, despertándole inconexas sensaciones de ternura, de languidez, de deseo, recuerdos de baratas tragedias amorosas, de ensueños de adolescencia que va dejando atrás al caminar como si se desangrara, retazos de un mosaico que más tarde no podrá recomponer como tampoco será capaz de diferenciar ningún rostro aislado de ese racimo de efigies que le vuelven a asediar desde el quiosco de la esquina siguiente en ofrenda falaz de aventura, placer y variación, diosas profanas sonriendo desde su olimpo de papel, imponiendo modelos y actitudes a las mujeres de carne y hueso que han salido a la calle a mirarse indecisas y azoradas en la luna de los escaparates.

El hombre que se había tropezado con Luisa dobló el periódico que acababa de comprar y la siguió a cierta distancia por la calle de San Bernardo arriba, parándose un poco ante de los quioscos y las tiendas donde ella se paraba, tratando de captar su mirada, apenas adivinada de perfil, de acoplar su paso a la cadencia indolente y sensual del suyo, complaciéndose en la curva de sus piernas, y en imaginar las palabras que le podría decir si se atreviera a abordarla. En un determinado momento la vio meterse por una callejuela lateral y, aunque apretó el paso, cuando llegó a la esquina ya no se la veía. ¿Viviría en ese barrio? Se quedó un momento parado, no sabía si doblar por allí o seguir su camino, otro rostro perdido, otro rasgón de niebla.

—¿Me hace el favor, don Gonzalo Marín? —preguntó Luisa asomando la cabeza por la ventanita de la portería, al fondo de un pasadizo oscuro.

Estaban un hombre oyendo la radio, una vieja cosiendo y un niño con gafitas leyendo tebeos en una habitación pequeña que olía a berza. Había en la pared un calendario parecido al de casa de Luisa.

—Deben de ser los del ático —dijo el hombre—. ¿Es alto él?

—Sí, alto, moreno, con gafas.

—Es que viven varios, ¿sabe usted?, con la señorita ésta del teatro; por eso no me aclaro, para tanta gente ahí...

—Sí, demasiada —dijo la vieja.

—Bueno, gracias. Subiré a ver.

—Ático derecha. El ascensor no funciona.

Inició el primer tramo de escalera y se paró en el rellano. Bajaba la luz grisácea de la tarde por una alta claraboya a iluminar débilmente los gastados peldaños de madera, las paredes desconchadas, las puertas cerradas del primer piso. Una de ellas tenía llamador y un sagrado corazón en relieve. No se oía ningún rumor, ninguna señal, nada alentaba a seguir subiendo. Luisa sintió que se le derrumbaban todos los ánimos que le había insuflado Isabel y que todavía en la calle, arropada por las miradas de la gente, los ruidos y los reflejos, se mantenían vigentes en parte. Cuando este portal y esta escalera no eran aún más que partícula de una rayita negra encima de la cual venía escrito en el plano: «Calle de la Palma», era muy fácil decidir: «Me reiré», «le miraré con indiferencia», «cruzaré las piernas», «le diré que me han hablado de un trabajo estupendo, que he venido en autostop, que salgo con un chico», «moveré la cabeza como si viniera peinada normal», tal vez todo en el mundo fuera teatro, pero hay funciones que con ensayo salen todavía peor. Se miró en un espejito que sacó del bolso, era muy pequeño y sólo se veía o los labios o los ojos o la frente o el pelo, pero no todo a la vez. Lo volvió a guardar, apoyó el bolso contra la pared y a tientas en aquel rellano solitario se empezó a quitar y a tirar al suelo, con gesto nervioso y decidido, las horquillas que sujetaban el peinado aquel con el que Isabel la encontraba tan guapa, y el pelo le volvió a caer a los lados de la cara como siempre. Se encontró, de momento, algo mejor, pero, a medida que continuaba subiendo despacio, la angustia volvía a apoderarse de ella y le resultaba casi insoportable aquella ascensión, tan diferente de la gozosa ascensión a la montaña que había vivido en sueños dos mañanas antes. De poco le servía, para paliar su desfallecimiento, acudir al recuerdo de que así, con el pelo suelto, era como le gustaba a él y tratar de evocar las frases que le decía cuando se lo acariciaba, la luz de su mirada, los gestos de sus manos; eran gestos y palabras que no lograban adquirir credibilidad ni consitencia, que se quedaban pegados a la pared de esta escalera junto a las inscripciones y los desconchados que la habían ido desluciendo; sólo contaba este escenario tangible y hostil por donde él descendía a diario a negocios o diversiones ignoradas, tal vez acariciando el pelo de otra mujer. Había llegado al ático y se volvió a detener mirando la puerta de la derecha. Casi no podía respirar, el corazón le palpitaba al galope, como un reloj loco y desarticulado. Se había olvidado de la hora que era, de lo que le iba a decir, se le esfumaban las frases y los gestos ensayados con Isabel, se había esfumado la casa de Isabel, volaba por los aires con Isabel dentro, igual que la imagen elegante que le devolvían los escaparates de la calle poco antes imprimiendo como por encanto un ritmo seguro a su caminar. Era una imagen hecha añicos, sustituida ahora por la de esta chica, muerta de miedo y sin saber qué hacer, bajo la luz de una claraboya de cristales sucios, paralizada delante de una puerta; los vestidos de Isabel no le podían quitar el miedo ni la pinta de desgraciada que sin duda tenía con aquel disfraz más postizo todavía que el uniforme azul. Si de repente se abriera esa puerta y apareciera Gonzalo mirándola con pena o con indiferencia, inmediatamente el disfraz se le caería al suelo en harapos; y podía salir en cualquier momento, no sabía cómo se había atrevido a llegar hasta aquí, le parecía una temeridad, le daban ganas de escapar corriendo escaleras abajo y coger el primer autobús de línea para su pueblo. Sacó una moneda del bolso, la lanzó al aire y se agachó a recogerla sobre la madera del suelo. Había salido cruz. Llamó al timbre.

Vino a abrir la puerta un chico de pelambrera rubia alborotada vestido con vaqueros viejos y una blusa moruna. Había un pasillo corto con pósters en la pared y al fondo una habitación con la puerta abierta de donde salía música.

—Hola, ¿está Gonzalo?

El chico la miró con unos ojos soñolientos de incomprensión.

—Pasa —dijo—, menos mal que sube alguien. ¿Estabas con ésos en el bar?

—¿Con quiénes? Yo, no —dijo Luisa.

—Da igual. Pasa. ¡Llevo una tarde de rollo solitario!

Ya estaba dentro. ¡Qué fácil había sido entrar! Le siguió por el pasillo hasta la habitación, que tenía un aspecto bastante destartalado, con un sofá de skai, sillones de lo mismo y varias mesitas desparejadas, encima de una de las cuales estaba encendido el tocadiscos. Antes de entrar vio que a la izquierda se iniciaba un tramo más largo de pasillo con puertas a un lado, pero todo estaba vacío y no se oía más ruido que el del disco. Se le había aliviado de golpe la tensión padecida en la escalera y casi agradecía esta confortable extrañeza que sentía ahora. Decidió no forzar demasiado el rumbo de los acontecimientos y, por de pronto, tutear a aquel chico.

—¿Estás solo? —le preguntó mirando alrededor.

—Bueno, como si estuviera solo, esos dos llevan todo el día en la cama, pero Monique se tendrá que levantar ahora. Por cierto, ¿qué hora es, tú?

—Las siete menos cuarto —dijo Luisa.
Y al mirar el reloj de Gonzalo se le ocurrió pensar que, por lo menos, si las cosas se daban mal, tenía un pretexto. Podía haber venido a devolverle el reloj.
—Oye, qué tarde. Me dijo que la llamara a las seis y media. Hoy tiene función. Espera, ahora vengo.
Luisa se quedó sola, de pie en medio de aquel cuarto tan feo que despedía un olor acre y difuso, mirando un balcón desde el que se veía otro balcón muy cerca, escuchando una canción que no entendía:

*Here I lie in my hospital bed,*
*tell me, sister morphine,*
*when are you comin' round again...*

Se extrañaba vagamente de no sentir nada, ni emoción, ni sobresalto ni pena. Se sentó y miraba fijamente girar el disco negro de donde salían aquellas palabras incomprensibles, atenta a las vueltas que iba dando. Ya casi estaba llegando la aguja al círculo azul del centro cuando volvió a entrar el chico. Se sentó enfrente de ella y se puso a deshacer con una navajita encima de un papel blanco una pastilla pequeña como de tabaco prensado que sacó de una caja de cerillas.
—¿Te gustan los Rollings? —preguntó, al tiempo que interrumpía un momento su labor para quitar, desde su asiento, el disco, que se había acabado.
—No sé inglés —dijo Luisa—, me gustan más las canciones que entiendo.
Al chico le dio un ataque de risa apagada y monótona que sólo era ruido y no subía a alegrarle los ojos.
—Pero la palabra *morphine* sí la entenderás —dijo.
—Supongo que querrá decir morfina —dijo Luisa con naturalidad—. Oye, antes te pregunté que si estaba Gonzalo.

—Te he dicho que está durmiendo. ¿O no te lo he dicho? Bueno, da igual; ella sale ahora. ¿Sabes lo de ayer, no?
—Pues no.
—Han pasado la noche en la comisaría y Damián igual. No los han soltado hasta esta mañana. Menudo susto.
Luisa también notó que se asustaba, pero con una clase indefinible de susto que la dejaba fría, inalterable, exactamente como si todo aquello se lo estuviera diciendo un personaje de teatro a otro. Se acordó de Isabel como de un público lejano, cuyo rostro no veía y para el cual estaba representando una función que no había ensayado; valía cualquier réplica, porque nada de aquello estaba pasando de verdad.
—¿Qué habían hecho? —preguntó.
El chico seguía abstraído en su tarea. Ahora estaba desmenuzando aquel polvillo marrón, lo extendía y lo mezclaba con hebras de tabaco sacadas de un pitillo que acababa de partir por la mitad. Luego lo lío todo en un papel de fumar oscuro.
—Nada, que hubo follón en *La galera* y cogieron a mucha gente. ¿Tú estabas?
—Yo no —dijo Luisa.
El chico encendió el cigarro que acababa de fabricar y le dio una chupada profunda.
—Yo sí, pero me pude escurrir —dijo luego con los ojos entrecerrados—. Todo por culpa de un negro que se acampanó con un chuleta de Vallecas y el otro tío tiró de navaja. Sangraba como un cerdo el negro, lo vi yo en la calle cuando me iba. ¿Quieres? Ha salido un poco deforme, pero bueno.
Le pasaba el cigarro, ligeramente abultado por el centro, después de descabezarle la brasa con el meñique. Luisa supuso que era droga, les había oído hablar a los chicos de la discoteca de Villalba, pero nunca había fumado.

—Bueno —dijo—. Pero yo no me trago el humo. Ya te lo aviso.
—¿Porque no quieres?
—Porque no sé.
El chico, que estaba hundido en la butaca pareció espabilarse repentinamente y adelantó su cuerpo hacia el de Luisa.
—Yo te enseño, es muy fácil. Verás, tú mírame a mí. Tragando no, respirando hondo... así.
Había dado una chupada más larga que la anterior y se volvió a quedar durante unos segundos sumido en una especie de letargo, los labios distendidos en una sonrisa estática e inexpresiva, los dedos en el aire sosteniendo el pitillo que se consumía exhalando un olor a brea y miel.
—Toma —dijo pasándoselo luego, como si se volviera a acordar de ella—, y ya te digo, tragar no, respirar. Muy hondo, sin miedo. A ver.
Luisa cogió el pitillo y le dio una chupada concienzuda y audaz. Miedo, ¿por qué lo iba a tener?, el miedo es otra cosa. Notó un picor insoportable y abrasador, como si le hubieran echado fuego por el esófago y le dio un ataque de tos aparatoso.
—Oye, qué malo —dijo cuando pudo hablar—, es malísimo, tú, no sé cómo puedes fumarte esta porquería. Toma, toma.
Seguía tosiendo sin poderlo remediar y los ojos se le habían llenado de lágrimas.
—Eso pasa siempre al principio —dijo el chico, cogiendo el pitillo otra vez—. Es que has tragado, no hay que tragar. A la próxima lo harás mejor.
—No, si no quiero más —decía Luisa entre golpes de tos—, es muy malo, es malísimo.
—No es malo, limpia la suciedad de los pulmones, por eso toses, porque irrita las mucosas. El tabaco corriente

hace más daño. Pero algo te ha entrado, ya verás cómo lo notas. ¿Te gusta el jazz?

—Sí.

El chico buscó un disco, lo sacó de su funda y lo puso. Las notas de la trompeta empezaron a deshilvanarse por la habitación como volutas de humo, se quedaban pegadas a los remates de los muebles, eran banderolas de gasa que anunciaban una catástrofe de teatro, acordes agoreros.

—¿Te encuentras mejor?

—Sí, sí...

—Claro, ¿lo ves?

La habitación se había alargado y ya no le parecía tan fea, de las trompetas salían delgadas serpentinas que brillaban mucho y subían culebreando por las paredes, las miraba dibujarse, trepar y desaparecer por el rincón del fondo, como por un desagüe, admitía sin sorpresa aquella metamorfosis, absorta, a la expectativa, en un estado de placentera ingravidez, una sensación parecida a la que experimentó al entrar con Gonzalo por vez primera en aquel cuarto de Villalba de paredes color ver de manzana y se quedó apoyada con la espalda contra la puerta después de cerrarla, con los ojos fijos en la cama de níquel, sin ser capaz de discernir si lo que veía era feo o maravilloso. «Que el tiempo se pare, que se pare ya para siempre», era lo único que se le ocurría pensar intensamente, paralizada allí contra la puerta, fascinada, y él le dijo, «anda, ven, no tengas miedo», y la llevó de la mano dulcemente hasta el borde de la cama, iban despacio, muy despacio como a sentarse en la ribera de un arroyo, y ella miedo no tenía, «cuántas veces me acordaré luego de este camino», pensaba, y llegaron y se sentaron y sin moverse de la misma postura se estuvieron besando un rato infinito, a veces el tiempo de qué manera tan rara y tan diferente sabe discurrir, se queda rezagado, disimulando, como si corriera de puntillas, como un arroyo al sol.

—¿Quieres otro poco? —preguntó el chico—. Se va a acabar.

—Bueno.

Esta vez dio dos chupadas seguidas y sabía más áspero, pero tosió menos, porque le debía haber entrado mejor. Ya no existía aquella habitación ni el chico de la pelambrera revuelta ni ella estaba esperando a nadie. Bastaba con mirar, con estar quieta. En la funda de un disco vio una boca pintada de donde salían llamas rojas y pájaros azules y debajo un cinco y un cero muy grandes en cifras de plata, cincuenta. Qué casualidad, por la calle venía pensando mucho en ese número, se le había quedado en la cabeza como el fragmento de una canción pegadiza: la edad de la madre de Isabel. «Ojalá no llegues a los cincuenta años como ha llegado ella», le había dicho Isabel, mientras la ayudaba a arreglarse. Se lo dijo con rabia y con los ojos brillantes como si fuera a llorar, pero no quería llorar, no había cosa peor que abrirle camino a las lágrimas, y el llanto que no vertía se le volvía palabra ardiente y clara. Le contó que su madre, de joven, escribía unas poesías preciosas y traía locos a los hombres, que el señorito Víctor, sin ir más lejos, estaba todava enamorado de ella, pero que se había destruido sin remisión por empeñarse en guardar fidelidad a un amor único. Luego se embarcó en un discurso apasionado sobre las trampas del amor en general y decía que el amor es mentira, literatura, veneno que esclaviza a las mujeres incapaces, como su madre, de reaccionar a tiempo; ella ya estaba en un callejón sin salida porque nadie puede cambiar a los cincuenta años ni ponerse a apostar por una carta diferente. «Pero tú sí, Luisa, tú sí», se lo decía buscando sus ojos en el espejo del cuarto de baño, según le iba separando cuidadosamente con el peine los mechones de pelo y colocándoselos en lo alto de la cabeza, de pie detrás de ella. «Te lo digo para que te sirva, porque a ti te queda mucha guerra por dar hasta los cincuenta años, mucha vida, y tienes que acordarte siempre de que eres joven y lista y guapa, mira qué bien te queda el pelo así, no te quieras convertir en una piltrafa antes de tiempo, seguro que ese tipo no vale ni la mitad que tú.» Treinta años le faltaban para los cincuenta, un camino insondable, lleno de vericuetos y de curvas, las curvas del número pintado en la funda del disco tomaban relieve, latía la barriga plateada del cinco, giraba el anillo plateado del cero, parecían monigotes animados que se iban a salir de la cartulina de un momento a otro —tipi-tapa, tipi-tapa— a dar un paseo por el cuarto cogidos de la mano.

—¿Notas algo ya? —preguntó el chico—. ¿De qué te ríes?

—De ese número que se mueve. El cinco es la madre, mira qué barriga tan graciosa tiene, y el cero es el niño, un niño de plata que le ha nacido.

—Ya estás pirada —dijo el chico, señalándola con el dedo, muerto de risa—, piradísima. ¡Cómo te ha pegado, hermana!

Entró en la habitación una mujer alta y de buen tipo con pestañas postizas y el pelo teñido color de azafrán dispuesto en multitud de sortijillas opacas, como de vellón de cordero, que le rodeaban el rostro en aureola ampulosa y exótica. Llevaba un vestido gris de seda muy ceñido. Llegó hasta la butaca donde estaba sentado el chico y se acuclilló de espaldas a él.

—Súbeme la cremallera, Richi, cielo. ¿Qué hora es?

Mientras el tal Richi cambiaba perezosamente de postura y le hacía el favor que ella le había pedido, Luisa miró el reloj de Gonzalo y decidió con una repentina y clara firmeza que ésta era la última hora que miraría jamás en aquel rostro pálido, redondo y frío por donde tan pesadamente se habían arrastrado los minutos que fueron contando la agonía del verano. Fue una decisión desgarradora y súbita, como un corte limpio sobre la piel, le pareció ver la sangre que manaba de la raya roja:

—Las siete y diez —dijo.

La rubia miró a Luisa, al tiempo que se ponía de pie ágilmente.

—¡Qué tarde, chicos, me voy volando!

Se dirigió a una silla que había en el rincón y que tenía encima un abrigo de ante.

—¿De dónde te has sacado este ligue tan aparente, Richi? —preguntó, volviendo a mirar a Luisa, mientras se ponía el abrigo—. Nunca la habías traído por aquí.

Luisa desafió aquella mirada sin desfallecer, como desde el fondo de un barranco de serrín y niebla, del que pugnaba por salir.

—¿Está despierto Gonzalo? —le preguntó poniendo un especial cuidado en articular las palabras para que no se le descosiera ninguna.

—¿Gonzalo? Sí. Se acaba de despertar. ¿Por qué?

—Porque he venido a traerle una cosa.

—Ah, pues entra, si quieres. Yo me voy, guapos, que seáis buenos.

Desapareció a pasos largos por el pequeño corredor y se oyó el ruido de la puerta de la calle. Richi miró a Luisa con un gesto que quería ser malicioso y no pasaba de bobalicón. Ella se puso de pie.

—Oye, dime dónde es la habitación de Gonzalo.

—Sal por el pasillo y la segunda puerta a la derecha. ¿Qué tal va eso?

—Bien.

Llegó delante de la puerta y la empujó sin llamar. Había una cama grande y prendas de mujer por el medio.

Gonzalo estaba sentado en la cama, sin gafas, con el pecho desnudo.

—Hola —dijo Luisa.

Le temblaban las piernas, pero llegó hasta el borde de la cama. Vio que Gonzalo alargaba el brazo y tanteaba para coger las gafas de encima de la mesilla; ella cruzaba siempre el suyo por delante cuando le veía hacer ese gesto, se las daba y se las pona.

Se adelantó a su mano y los dedos se tocaron un momento encima de aquella mesilla que le resultaba fría, ajena, revuelta.

—¿Buscabas las gafas? Toma.

«Unas veces me las pongo para mirar, otras para defenderme», le había dicho una vez; «para ver mejor por dónde viene el enemigo y montar guardia a tiempo. Pero contigo me las pongo siempre para mirar.» Ahora se había puesto las gafas pero bajaba la vista detrás de ellas, a pesar de que la voz sonaba jovial y controlada.

—¡Qué sorpresa! ¿Qué haces tú aquí?

—He venido a traerte tu tiempo —dijo Luisa quitándose el reloj y depositándolo sobre la mesilla, junto a un tubo de aspirinas.

Le miró. Los ojos de él seguían defendiéndose detrás de los cristales de su escudo.

—Pero digo que de dónde sales, que cuándo has venido, esas cosas.

—Es largo de contar, ya te lo contaré.

—¿Cuándo?

—Otro día.

—Vienes en plan de acertijo, veo. Pásame un pitillo de aquel bolso. ¡Tengo un dolor de cabeza, chica!

Luisa se acercó a una silla que tenía un bolso cuadrado de cuero colgado del respaldo.

—¿Éste? —preguntó, volviéndose a mirarle.

Había sorprendido los ojos de él fijos en su espalda, en

sus piernas, pero en seguida volvían a hacer un quiebro de esgrima detrás de las gafas, escapaban nuevamente.
—Sí, ése.
Lo descolgó. Encima del asiento de la silla vio un sostén negro muy transparente. Le llevó el bolso y se quedó de pie junto a la cama.
—Pero siéntate —dijo él, con los ojos hundidos en el interior del bolso, de donde sacó una caja de Ducados y un encendedor.
—Tengo un poco de prisa.
—¿Qué hora es?
Luisa cogió el reloj de la mesilla y lo puso encima del embozo sin mirarlo. Veía las manos de Gonzalo cogiéndolo, sus brazos y su pecho desnudos allí tan cerca, a los ojos ya no se atrevía a volver a subir.
—¿No te sientas, entonces?
—No.
—Pues espérame fuera, que ahora mismo me levanto, nos tomamos un café y te acompaño adonde vayas. Yo también tengo que salir.
Luisa se dirigió a la puerta y le miró desde allí por última vez. El rostro de Gonzalo se empañaba como un dibujo que se deshace, a través del humo del pitillo recién encendido.
—Ven, mujer, dame un beso por lo menos. Estás guapísima, en serio, guapísima. ¿Sabes?
—Sí.
—Ven un momento, anda.
Luisa vino, se sentó en el borde de la cama y se dejó besar, sin oponer resistencia, sin decir una palabra, sin mirarle. Fue un beso ávido y salvaje. Cuando notó que las manos de él le empezaban a acariciar el pelo y los hombros, se levantó.
—Te espero fuera —dijo—. Pero date prisa.
No quiso mirar sus piernas desnudas que saltaban fuera

de la cama, cerró la puerta, cerró los ojos, se apoyó en la pared del pasillo, le zumbaban los oídos, sentía náuseas. Avanzó, apoyándose en la pared, hasta la entrada de la otra habitación, donde seguía sonando aquella música de jazz, pasó por delante de la puerta abierta.

—¿Te vas? —oyó que le preguntaba Richi desde dentro.

—Sí, bajo a por tabaco.

Bajó agarrándose fuerte al pasamanos de la escalera, arrastrándose por aquel tobogán oscuro que la vomitaba hacia afuera, que crujía y se contraía en espasmos, en sacudidas, en estertores, como zarandeada por un terremoto; bajaba lo más aprisa que podía viendo cómo se tambaleaban las paredes desconchadas a punto de desmoronarse. Pasó por delante de la garita del portero, logró cruzar el último pasadizo, alcanzar el resplandor y el aire de la calle. La pared de enfrente no se movía.

Ya había atardecido y estaban encendidas las luces de los bares, de las tiendas, de los semáforos, de los anuncios. Echó a andar, tiesa, por la acera, procuraba no tropezarse demasiado con los transeúntes, que los tacones no se le torcieran. Paró el primer taxi que vio libre y le dio las señas de casa de Isabel, se hundió en el asiento, se dejó llevar por aquel hombre anónimo, hiératico y silencioso como un muñeco de hojalata agarrando un volante de hojalata, atenta sobre todo a contener la náusea, a englutir cada una de aquellas oleadas de saliva sosa y aguada que le subía de las vísceras a la boca como un reflujo de lejía.

—¿Le vale aquí o le doy la vuelta?

—Aquí mismo.

Ya estaba allí enfrente la casa de Isabel, al otro lado de la avenida, bastaba con esperar a que el semáforo se pusiera verde, un último esfuerzo y ya. Esperó junto a un puesto de periódicos desde el que la miraban docenas de pares de ojos en technicolor pertenecientes a los habitantes de un paraíso de papel. Un hombre vestido de gris, que acababa de comprar el periódico, se le plantó delante, la recorrió con la mirada de la cabeza a los pies.

—¿A dónde vas, princesa?

Escupió en el bordillo. Todavía podía tener un desplante de teatro.

—Princesa de mierda —dijo antes de cruzar la calle, revuelta con aquella marea de seres incógnitos y sin rostro, avanzando entre ellos a brazadas de náufrago.

Cuando alcanzó la otra acera, vio que Gloria estaba bajando de un coche y que introducía la cabeza para besar a un hombre con barba. Estaba de espaldas, no la había visto.

Se metió furtivamente en el portal, se metió en el ascensor, salió a la puerta de servicio, hurgó en el bolso, se le había olvidado coger la llave, llamó al timbre, esperó. Tardaban mucho en abrir. Por fin salió Diego, con una expresión alterada y hostil que se le dulcificó ligeramente al verla.

—¿Ah, eres tú? Creí que sería la señora.

—La señora llega ahora, la acabo de ver bajarse de un coche. Perdone, vengo un poco mala.

Fueron las últimas palabras que consiguió decir antes de meterse rápidamente en el cuartito de la ducha, con el tiempo justo para correr el pestillo y, sin dar la luz siquiera, inclinarse sobre el retrete, echar fuera del cuerpo dolorosa y agresivamente toda aquella resaca de lava que le estaba asfixiando las entrañas, ríos de veneno incontenible que al desalojar su cuerpo provocaban, por fin, al unísono, el alivio fresco y salado de las lágrimas corriendo a lavarle el rostro, mejillas abajo, escote abajo, como goterones de lluvia inesperada sobre la tierra seca. Luego se lavó la cara, entró en su cuarto, cerró la puerta, se quitó los zapatos de Isabel, las medias de Isabel, el vestido de Isabel, se puso el uniforme azul, se tumbó en la cama.

«Princesa de mierda —repetía llorando—, princesa de mierda.»

Al cabo de un rato, cuando se encontraba algo más tranquila y estaba empezando a adormilarse, la despertaron unas voces horribles que retumbaban por toda la casa. Se incorporó. Salió a la cocina, abrió la puerta. Era una bronca violentísima en el dormitorio de los señores. Fue al cuarto de Isabel, que estaba apagado y vacío, cerró la puerta, salió a la terraza y se asomó entre dos tiestos a mirar los autobuses y los coches allí abajo, la gente, absurda y apresurada que fingía ir a algún sitio y cientos de luces desplazándose, apagándose, girando, lanzando guiños sin mensaje, sofocadas entre la polución. Desde allí no se oían las voces del interior. Miró hacia arriba, rebasando cornisas y azoteas y se topó con aquel cielo de nubes ofuscadas, un cielo de mentira, empantanado y denso, detrás del cual se batían en retirada las estrellas, como la mirada irrecuperable de Gonzalo detrás del telón de sus gafas. Y sintió de pronto, desgarradoramente, la añoranza de aquellas limpias estrellas de agosto brillando sobre los tejados de su pueblo, sobre las montañas, sobre su cuerpo acostado boca arriba, encima de la hierba.

«Me voy mañana mismo», decidió.

## Dieciséis

Al día siguiente se levantó muy temprano, hizo la cama, recogió el uniforme azul, lo colgó en una percha y se quedó mirando alrededor, con ojos de cansancio. Había dormido vestida y la maleta no había llegado a deshacerla en aquellos tres días, así que no recordaba que le quedara nada por recoger. De pronto sus ojos se toparon con el cacharrito de plástico rectangular que seguía intacto encima del radiador, brillando apagadamente en la penumbra. Se acercó a mirarlo. El espejo era una pieza suelta que se podía desmontar. Lo sacó delicadamente con dos dedos y la mancha amarilla que había estado reflejando durante unas horas se borró para siempre. Lo metió en el fondo de la maleta junto a las cartas recuperadas y el resto del armazón lo tiró a la basura en la cocina. El reloj de encima de la nevera marcaba las siete y media, le daba tiempo a coger el coche de línea de las nueve. Cerró la maleta y fue al cuarto de Isabel a despedirse.

Estaban las persianas bajadas, avanzó a tientas, despacito y palpó debajo de las sábanas el bulto de su cuerpo.

—Señorita Isabel.

Isabel se sentó en la cama y dio la luz.

—¿Qué pasa? Ah, eres tú. ¡Qué susto me has dado!

—Perdone que entre así de repente, pero la estuve esperando anoche hasta bastante tarde. Es que me vuelvo a mi pueblo.

—¿A tu pueblo? ¿Ahora mismo? ¿Qué hora es?

—Las siete y media. Pero el coche de línea me pilla un poco lejos. Anoche la eché de menos, pasé mucho miedo.

—¿Por qué? ¿Qué te ha pasado?

—Su padre y la señorita Gloria. Le pegó. A poco se matan. Me parece que ella se ha ido. No cenaron ninguno de los dos.

Isabel la miró en silencio, intensamente, con una mezcla de cariño y tristeza.

—¿Te vas por eso? —preguntó.

—No. Pasé muy mal rato y no sabía qué hacer ni dónde meterme, pero no me voy por eso.

—Ya. Es que te han ido mal tus cosas.

—Sí, muy mal, peor imposible. Pero ya se lo contaré otro día. Porque, aunque me vaya, me gustaría volverla a ver. Le he cogido mucho cariño, y a su padre también y a su hermano y hasta a su madre, aunque casi no la conozco, pero ya me parece como si la conociera de siempre. Perdone que me vaya así, no tengo ganas de explicarle nada a nadie, compréndalo, estoy que no puedo más.

Hablaba de un tirón, con voz desganada y átona.

—Claro, cómo quieres que no lo comprenda.

—Sus cosas se las he dejado recogidas encima de la cama de mi cuarto.

—No te preocupes por eso. ¿Y qué le vas a decir a tu madre?

—No lo sé todavía. Había pensado pararme antes en casa del señorito Víctor y hablar con él, que me quiere mucho y es al único que le he contado un poco mi historia. Él me aconsejará, a lo mejor me deja quedarme en su casa un par de días.

—Vaya por Dios, chica, cuánto lo siento —dijo Isabel—, yo también te había tomado mucho cariño. Pero por ti me alegro de que te vayas. En esta casa no hay quien pare. Ya te lo dije ayer. Lo que tienes que hacer ahora es estudiar y cuando quieras volver a Madrid buscarte un trabajo mejor.

—Sí, sí, eso pienso hacer. Por cierto, ¿qué tal su amigo?

—Ah, estupendo, lo vi ayer. Está en lugar seguro. Me dio recuerdos para ti.
—Muchas gracias. Se los devuelve cuando lo vea. Bueno, señorita, pues me voy antes de que se levante su padre o venga la señora Basi; usted me disculpa con ellos.
Isabel quiso levantarse para acompañarla hasta el coche de línea y quiso darle dinero, pero no consiguió que aceptara ninguna de las dos cosas, a pesar de que en pagarla insistía mucho Isabel.
—No vale la pena, si total no he hecho nada. Y si necesitan algo de mí, ya saben siempre dónde me tienen. Dígaselo a su padre. Ojalá que se le arreglen las cosas con la señorita Gloria.
—No creo —dijo Isabel.
Se despidieron con un beso muy fuerte y con la promesa de que Isabel iría a verla a Matalpino el próximo fin de semana para charlar despacio.
A partir de mediados de septiembre en la sierra ya quedan pocos veraneantes y el coche de línea iba muy vacío. A algunas personas las conocía Luisa vagamente de vista, pero tuvo la suerte de que no iba nadie de su pueblo. Tenía mucho sueño y el viaje lo hizo durmiendo a trechos. De vez en cuando abría los ojos y miraba a través de la ventanilla cómo se iban quedando atrás trozos de campo, chalets, árboles, vacas, cercados, coches que se cruzaban con aquél, y le parecían imágenes de un texto incomprensible, que apenas escrito se borraba. Sólo era capaz de pensar con cierto agrado que en cuanto llegara a casa de Víctor le iba a pedir que no le preguntara nada y que la dejara dormir un día entero, imaginaba la cama del cuarto fresco y amplio de arriba adonde no llegaba más ruido que el de los grillos al caer la noche, la veía como dentro de esas nubecitas donde se aparecen las imágenes soñadas por el protagonista en

los dibujos de los tebeos. Cuando ya faltaba poco para llegar a su pueblo y empezó a reconocer los paisajes familiares se espabiló más y, a medida que se acortaban los kilómetros que la separaban del punto de llegada, la fatiga, aún sin desaparecer, dio origen a una fase de excitación que se traducía en movimientos nerviosos de los pies y las manos, en un continuo rebullir en el asiento. Avizoraba el campo con los ojos muy abiertos y los párpados picándole por dentro como si tuviera arenillas, en un estado de angustiosa alerta. Cuando por fin descubrió el perfil alto y pedregoso de las montañas a cuya falda se agrupaban las casas de su pueblo, recortándose netamente contra el cielo, iluminadas por el sol de aquel martes de septiembre que todavía madrugaba con arrestos de verano, notó que se le ponía un nudo en la garganta y que se le hacía difícil contener el llanto. Bajó la maleta de la red y avanzó hasta quedar de pie detrás del conductor. El coche iba ya vacío.

—Me bajo en la primera curva. Junto a la finca aquella de la verja verde.

—¿La de los fresnos?

—Sí.

El chófer, un muchacho joven que la conocía algo de vista, se volvió a mirarla.

—Pero ¿no eres tú de Matalpino, la chica de la señora Adela?

—Sí, pero hoy me bajo aquí. Si te encuentras a mi madre, por favor, no le digas que me has visto.

—Conformes, guapa, a mandar.

Paró en la curva, se bajó Luisa y echó a andar con la maleta en la mano bordeando una tapia de piedra que había al otro lado de la cuneta hasta llegar a la verja que la interrumpía y daba entrada a la finca de Víctor Poncela. Sujeto a la piedra del muro había un rótulo de esmalte azul con letras blancas donde se leía *Los Fresnos*. Luisa empujó la verja y echó a andar cuesta arriba, entre los árboles y las peñas, por un pequeño sendero. Antes de coronar el primer repecho, desde el que ya se descubría la casa, oyó el motor de un coche que venía y se apartó. En seguida apareció el automóvil negro del señorito Víctor conducido por él, y las lágrimas se le vinieron a los ojos de golpe. Vio borrosamente cómo la miraba a través de la ventanilla, detenía el coche y abría la puerta de aquel lado en actitud interrogante.

—¿Qué pasa? ¿Por qué vienes? —preguntó.

Luisa tiró la maleta al campo, se subió al asiento y sin cerrar la portezuela siquiera ni mirarle a él a la cara, escondió la cabeza contra su hombro y rompió a sollozar.

—Porque ha salido todo mal, un fracaso —decía entre hipos—, un verdadero fracaso..., ya se lo contaré, déjeme quedarme en su casa..., un fracaso.

Víctor empezó a acariciarle el pelo sin decir nada y estuvieron un rato abrazados. Luisa tardó en darse cuenta de que él también estaba llorando, sólo lo supo cuando le oyó, por fin, la voz.

—Pero vives, Luisa, estás viva —dijo—, y lo único importante es seguir vivos.

Ella separó la cara de aquel hombro donde la había refugiado a ciegas y descubrió las lágrimas que surcaban el rostro serio y delgado de su amigo. Notó también que iba sin afeitar. Durante unos segundos había supuesto que lloraba con ella porque compartía su pena, pero ahora esa creencia daba paso a una incertidumbre dolorosa. Le daba miedo preguntarle nada.

—¿Le ha pasado algo? —articuló por fin.

—Sí, me voy a Madrid. Acaban de avisarme por teléfono que ha muerto Agustina.

Luisa se quedó mirando un rato en silencio, atónita, una

avispa que zumbaba y giraba pegándose golpes contra el parabrisas, volviendo a revolotear, parecía de oro al sol.

—No puede ser —susurró, moviendo la cabeza—, es horrible, no puede ser.

Víctor miró el sendero, las rocas, la verja a través de la cual se veía la carretera.

—Aquí mismo —dijo, en este mismo sitio, anteayer, Luisa, fíjate, ella ya montada en el coche y yo diciéndole que no se fuera, es horrible, ahí junto a esa roca, empeñada en marcharse, y yo «no te vayas, no te vayas, quédate...», tenía que haberle insistido más.

—¿Cómo ha sido? —preguntó Luisa—. ¿Cuándo ha muerto?

—No saben a qué hora. Se metió en su cuarto ayer tarde a las siete y dijo que iba a dormir. Se la ha encontrado muerta la criada esta mañana temprano. Se tomó un tubo de pastillas.

Luisa recordó que ella a las siete estaba en aquel piso de la calle de la Palma mirando el número cincuenta dibujado en plata, mirando por última vez la hora en el reloj de Gonzalo.

—Si me hubiera llamado por lo menos... —decía Víctor—. Ayer estuve todo el día pensando en irla a ver... Si hubiera ido...

—Me vuelvo con usted a Madrid —dijo Luisa de pronto—, no quiero que llegue solo.

Él la miró con aturdimiento.

—Pero no entiendo... ¿No venías para quedarte?, creí que te habías salido de esa casa.

—Sí, pero da igual. Quiero verlos, a Isabel, a Jaime, a todos... Me pueden necesitar.

Víctor, por toda respuesta, salió del coche, cogió la maleta de Luisa que se había quedado tirada sobre la hierba, y la metió atrás en el maletero. Luisa se apeó también.

—Espéreme un momento solo. ¿Está la casa abierta? Tengo que ir al baño.

—No, toma la llave. Te espero por aquí.

Luisa subió a pie otro trecho de camino y entró en la casa, que era de piedra, con el tejado de pizarra y una gran terraza en el piso de arriba. Dentro había una luz grata y sosegada de fines de verano filtrándose a través de las persianas verdes. Encima de la mesita del vestíbulo vio Luisa un bañador negro de mujer. Pasó al baño y buscó algodón en el armarito. Le había venido el período. Luego se estuvo lavando la cara y las manos. Cuando salió vio a Víctor de pie al borde de la piscina, mirando las aguas azuladas. Se acercó por detrás y le tocó en el hombro.

—Cuando quiera.

—Precisamente —dijo Víctor sin moverse— estuvimos hablando de ti, ya ves, aquí, después del último baño... Vino tu madre a preguntar si tenía noticias tuyas... Estaba ella ahí boca arriba flotando, decía que era el último baño del verano... y cuando se fue tu madre, le conté un poco por qué te habías ido a Madrid, que te había entrado un amor completamente romántico por un chico, pobre Luisa, y ella dijo que por qué te compadecía, dijo que te tenía envidia, y yo le decía que me daba pena porque él te había dejado de escribir y tenía miedo de que te saliera mal la cosa... Ya ves, el domingo, aquí mismo, eran ya las seis y no se quería salir de la piscina, decía que le gustaba notar las alas de las golondrinas bajando al agua y rozándole el cuerpo, que era el último baño del verano... porque entraba el otoño, fue el domingo... ahí flotando, Luisa, parece que la estoy viendo con el bañador negro... se lo olvidó... y yo quise volver a la casa a por él, pero dijo que no hacía falta; «¿para qué?, te lo dejo de recuerdo», eso dijo..., es horrible.

Luisa abrazó a Víctor por los hombros.
—Ande —dijo con voz serena—. Vámonos.
Hicieron el viaje de regreso casi completamente en silencio, Víctor suspirando y llorando a ratos, Luisa con los ojos ya secos pero ardientes como brasas, avizorando vorazmente el camino como si de aquella tensa alerta de sus ojos dependiera acortar la distancia que la separaba de Isabel.
Cuando ya estaban llegando a Madrid, cerca del lugar donde el sábado Agustina se había apeado bruscamente del coche, se volvió a Víctor y le preguntó.
—¿La ha visto Isabel?
—No sé, a estas horas supongo que ya la habrá visto. El que me ha llamado ha sido Jaime.
Imaginó el encuentro de los hijos con la madre muerta, necesitó tener datos para completar el cuadro en su mente.
—¿Cómo la han encontrado? —preguntó.
—Echada encima de la cama —dijo Víctor—, y con todas las cartas de Diego esparcidas alrededor. Se había puesto un traje malva con el que yo la pinté una vez. Ha dejado escrito en una nota que la entierren así.
Luisa miró el lugar por donde había desaparecido de la vista de sus ojos, para siempre, aquella figura esbelta y altanera, en los umbrales de la ciudad que se tragaba y hacía añicos todas las cartas y las historias de amor, y se echó a llorar ya sin freno.
—Pobrecita —decía—, pobrecita.
Un poco más abajo de la Plaza de Castilla el llanto le escocía la cara, y se lo quiso secar. Buscó un pañuelo dentro de su bolso y encontró el que Jaime le había dejado en prenda. Se lo llevó a los ojos. Seguía manchado de maquillaje y aún olía a colonia de limón.

*Madrid, enero-marzo de 1976*

## Colección Destinolibro

LUIS RICARDO ALONSO
119 El Supremísimo
FERNANDO ARRABAL
202 Baal Babilonia
227 Tormentos y delicias de la carne
256 La torre herida por el rayo
GABRIEL G. BADELL
110 De las Armas a Montemolín
SAUL BELLOW
19 Herzog
79 Las memorias de Mosby y otros relatos
JUAN BENET
162 Volverás a Región
PAUL BOCUSE
243 La cocina del mercado 1
244 La cocina del mercado 2. Postres
HEINRICH BÖLL
169 El tren llegó puntual
LOUIS PAUL BOON
72 El camino de la capillita
EMILY BRONTË
22 Cumbres borrascosas
LOTHAR-GÜNTHER BUCHHEIM
36 Picasso
MIJAÍL BULGÁKOV
17 La guardia blanca
ITALO CALVINO
84 Marcovaldo
JOSÉ LUIS CANO
10 García Lorca
188 Antonio Machado
BERNARDO V. CARANDE
90 Suroeste
JOSÉ MARÍA CARRASCAL
138 Groovy
J. L. CASTILLO-PUCHE
123 El vengador
207 Sin camino
238 Ramón J. Sender: el distanciamiento del exilio
CAMILO JOSÉ CELA
4 La familia de Pascual Duarte
27 El gallego y su cuadrilla
45 Pabellón de reposo
58 Mrs. Caldwell habla con su hijo
70 Judíos, moros y cristianos
113 Nuevo retablo de Don Cristobita
139 Las compañías convenientes y otros fingimientos y cegueras
C. W. CERAM
12 Dioses, tumbas y sabios
29 El misterio de los hititas
GILBERT CESBRON
26 ¡Soltad a Barrabás!
116 Verás el cielo abierto
JOSEPH CONRAD
158 Freya, la de Las Siete Islas
186 El Hermano de la Costa
ÁLVARO CUNQUEIRO
34 Las crónicas del sochantre
143 Un hombre que se parecía a Orestes
164 Merlín y familia
204 Vida y fugas de Fanto Fantini
MIGUEL DELIBES
8 Las ratas
31 Mi idolatrado hijo Sisí
44 Diario de un emigrante
56 Diario de un cazador
67 Un año de mi vida
73 La sombra del ciprés es alargada
100 El camino
108 Dos días de caza
144 Cinco horas con Mario
151 La hora roja
179 Aún es de día
181 El otro fútbol
196 Las guerras de nuestros antepasados
203 El príncipe destronado
214 Parábola del náufrago
231 Aventuras, venturas y desventuras de un cazador a rabo
242 La primavera de Praga
250 Con la escopeta al hombro
258 Mis amigas las truchas
JAMES DICKEY
255 Liberación
FIODOR DOSTOYEVSKI
37 El jugador
JESÚS FERNÁNDEZ SANTOS
35 Los bravos
173 Libro de las memorias de las cosas
RAMÓN GARCÍA DOMÍNGUEZ
237 Miguel Delibes: un hombre, un paisaje, una pasión
EUSEBIO GARCÍA LUENGO
220 Extremadura
F. GARCÍA PAVÓN
1 Las Hermanas Coloradas
3 El rapto de las Sabinas
6 Nuevas historias de Plinio
24 Cuentos republicanos
81 El reinado de Witiza
93 El último sábado
109 Los liberales
245 Cuentos de mamá
252 Una semana de lluvia
JOHN GARDNER
134 Grendel
LUIS GASULLA
52 Culminación de Montoya
M. L. GHAROTE
221 Guía práctica del yoga
J. A. GIMÉNEZ-ARNAU
120 Línea Siegfried
JOSÉ MARÍA GIRONELLA
91 Un hombre

**MANUEL OROZCO**
- 233 Manuel de Falla

**GEORGE ORWELL**
- 23 Rebelión en la granja
- 43 Mi guerra civil española
- 54 1984
- 127 ¡Venciste, Rosemary!
- 160 Subir a por aire
- 174 La marca
- 189 El camino de Wigan Pier
- 197 Sin blanca en París y Londres
- 216 Diario de guerra
- 219 Una buena taza de té

**TOMÁS Y TERESA PÀMIES**
- 95 Testamento en Praga

**CESARE PAVESE**
- 241 El bello verano

**JUAN PERUCHO**
- 263 Nicéforas y el Grifo

**JOSEP PLA**
- 107 Viaje en autobús
- 191 La calle Estrecha
- 232 Humor honesto y vago

**THEODOR PLIEVIER**
- 87 Moscú

**BALTASAR PORCEL**
- 9 China: una revolución en pie

**LAURENS VAN DER POST**
- 205 Feliz Navidad Mr. Lawrence
- 218 Aventura en el corazón de África

**ELENA QUIROGA**
- 136 La sangre
- 198 Viento del Norte

**T. LOBSANG RAMPA**
- 2 El tercer ojo
- 13 El médico de Lhasa
- 25 Historia de Rampa
- 48 La caverna de los antepasados
- 53 La túnica azafrán
- 64 La sabiduría de los antepasados
- 77 El ermitaño
- 129 Tú, para siempre

**CAROLYN RICHMOND**
- 166 Un análisis de la novela «Las guerras de nuestros antepasados» de Miguel Delibes

**DIONISIO RIDRUEJO**
- 105 Castilla la Vieja. 1. Santander
- 117 Castilla la Vieja. 2. Burgos
- 122 Castilla la Vieja. 3. Logroño
- 130 Castilla la Vieja. 4. Soria
- 157 Castilla la Vieja. 5. Segovia
- 159 Castilla la Vieja. 6. Ávila
- 210 Sombras y bultos

**CARLOS ROJAS**
- 195 El ingenioso hidalgo y poeta Federico García Lorca asciende a los infiernos

**LUIS ROMERO**
- 132 La noria

**ÁLVARO RUIBAL**
- 187 León

**GERMÁN SÁNCHEZ ESPESO**
- 78 Narciso

**RAFAEL SÁNCHEZ FERLOSIO**
- 16 El Jarama
- 47 Alfanhuí

**HARRY SCHRAEMLI**
- 171 Historia de la gastronomía

**RAMÓN J. SENDER**
- 5 El rey y la reina
- 15 Réquiem por un campesino español
- 21 Carolus Rex
- 32 El lugar de un hombre
- 50 El bandido adolescente
- 68 Porqué se suicidan las ballenas
- 71 Imán
- 80 Las Tres Sorores (Siete domingos rojos)
- 92 Luz zodiacal en el parque
- 96 Saga de los suburbios
- 103 Una hoguera en la noche
- 111 La muñeca en la vitrina
- 121 Cronus y la señora con rabo
- 126 La efemérides
- 133 El Oso Malayo
- 148 Orestíada de los pingüinos
- 152 Chandrío en la plaza de las Cortes
- 156 Memorias bisiestas
- 170 Epílogo a Nancy
- 180 El jinete y la yegua nocturna
- 185 La kermesse de los alguaciles
- 200 El fugitivo
- 211 Nocturno de los 14
- 215 Hughes y el once negro
- 234 Novelas del otro jueves
- 240 La esfera
- 247 El alarido de Yaurí
- 253 Las criaturas saturnianas

**FERRAN SOLDEVILA**
- 46 Síntesis de historia de Cataluña

**JOAN TEIXIDOR**
- 233 Viaje a Oriente

**GONZALO TORRENTE BALLESTER**
- 14 Don Juan
- 94 La saga/fuga de J. B.
- 128 Off-side
- 145 Teatro I
- 146 Teatro II
- 175 Fragmentos de Apocalipsis
- 194 Ensayos críticos
- 208 El Quijote como juego y otros trabajos críticos
- 226 La isla de los Jacintos Cortados
- 259 Cuadernos de La Romana
- 260 Nuevos cuadernos de La Romana

**TU XI**
- 217 Cien recetas de comida chin
- 257 Cocina china 1: Platos al est Sichuan

FRANCISCO UMBRAL
30 Memorias de un niño de derechas
40 Retrato de un joven malvado
49 Diario de un snob
55 Las ninfas
65 Mortal y rosa
112 La noche que llegué al Café Gijón

MARÍA DE LA LUZ URIBE
209 La Comedia del Arte

PEDRO VERGÉS
147 Sólo cenizas hallarás. (Bolero)

MANUEL VICENT
246 Ángeles o neófitos
254 El anarquista coronado de adelfas

J. VICENS VIVES
104 Noticia de Cataluña

AMBROISE VOLLARD
190 Memorias de un vendedor de cuadros

VIRGINIA WOOLF
66 Flush

Este libro se acabó de imprimir
en Apsa, S.A., L'Hospitalet (Barcelona)
en el mes de noviembre de 1990